Esther Costa

HIPNOSIS

Un puente al subconsciente con fines terapéuticos

¿Cuán hipnotizado está usted? 5

Del magnetismo animal hasta el legado ericksoniano 6

Trance y fenómenos hipnóticos 16

Teorías sobre la hipnosis 20

Hipnosis en la práctica clínica 28

Técnicas de inducción hipnótica 38

Las leyes de la sugestión 42
Primera ley 42
Segunda ley 42
Tercera ley 43
Cuarta ley 43
Quinta ley 44
Sexta ley 44
El lenguaje hipnótico 46
Comunicación sugestiva no verbal 47
Comunicación sugestiva verbal 51
Algunas técnicas hipnóticas de uso frecuente 56

Relajación progresiva de Jacobson 56
Levitación de la mano 57
Uso del péndulo de Chevreul 58
Visualización creativa 59
Uso de metáforas 59

Relájese con autohipnosis 62

Autohipnosis para disminuir la ansiedad 66
Fase respiratoria 66
Fase de firmeza y equilibrio 67
Exploración de nuevas respuestas con hipnosis 68
Ejercicio para facilitar el sueño 70

Uso de la hipnosis en medicina. El alivio del dolor 74

Neurofisiología del dolor 78
Analgesia hipnótica 81
Algunas sugestiones que se emplean en el tratamiento del dolor 83
Método del guante 83
Las aguas sanadoras 84
La hipnosis como herramienta facilitadora del crecimiento personal 86

Para terminar 94
Créditos 96

Danza de las reinas azules, 2001, Tat.

«Todo ser humano, si se lo propone, puede ser escultor de su propio cerebro».
Dr. Santiago Ramón y Cajal, Nobel de Medicina

¿Cuán hipnotizado está usted?

Hoy, en pleno siglo XXI, en la era de la información, la globalización, el comercio internacional, las religiones masivas, la política internacional..., ¿cree que usted nunca ha sido hipnotizado?

Ya no hace falta un péndulo ante los ojos de un crédulo o de un ignorante para que alguien se comporte de manera automatizada, compulsiva, o simplemente sin caer en la cuenta de los mecanismos que le llevan a pensar, sentir o actuar de una forma concreta.

Revise su propio proceder. Ahora mismo, mientras lee estas líneas, ¿qué ropa está vistiendo? ¿Recuerda dónde la compró y por qué motivo? Tómese realmente un minuto para decidir si, a parte de sentirse cómodo en ella, actuaron otros factores.

¿Por qué estos colores, esta forma, estas peculiaridades de sus prendas? ¿Tal vez forma parte de la moda actual? ¿Tal vez el/la dependiente/a del comercio le ayudó a convencerse? Respire mientras lo piensa. Quizás iba acompañado durante la compra por alguien en particular. ¿Puede recordarlo? ¿Y por qué está ahora mismo pensando en su ropa? Seguramente *alguien* se lo sugirió...

Todos somos influenciables y sugestionables y, por lo tanto, todos somos hipnotizables

Y es que todo ser humano reacciona en mayor o menor grado ante las sugestiones, a excepción de las personas con autismo avanzado, en estados delirantes o de desconexión con el entorno, o individuos con clara insuficiencia intelectual.

Nótese que no estoy hablando de perder la voluntad, sino simplemente de cumplir con algunas de las *propuestas* que *alguien sugiere*.

Y así, nos dejamos seducir por la publicidad, sucumbimos a las modas y paradigmas sociales, y hacemos propios los discursos de nuestros líderes (ya sean políticos, religiosos, intelectuales, etc.).

Es imposible no recibir influencias de nada ni nadie

¿Sigue creyendo que nunca fue hipnotizado antes? Como veremos en las próximas líneas, usamos el término hipnosis para designar un estado mental en el que nos hacemos más permeables a las sugestiones, y de alguna forma nuestro comportamiento y nuestro sentir se ajusta a lo sugerido.

Esta hipnosis puede ser elegida –alguien se somete voluntariamente a una inducción hipnótica–, o involuntaria, por ejemplo cuando recibimos el bombardeo publicitario que nos induce al consumo, o durante un entrenamiento deportivo o militar.

Cuando es voluntaria, puede ser aplicada por otra persona, lo que se llama heterohipnosis, o por uno mismo, autohipnosis.

Además, a la palabra hipnosis le añadiremos un apellido según la finalidad con la que se aplique. De esta forma encontramos la hipnosis mística, la de espectáculo, la deportiva, la militar, la política, la pedagógica, la comercial..., y la clínica.

El libro que tiene usted ahora en sus manos, nace en un intento de acercarle a esa hipnosis clínica realizada voluntariamente en la privacidad de un consultorio o en su propia casa, esa hipnosis sin testigos con la que no se pretende otra cosa que sugestionar al paciente con fines terapéuticos. En él encontrará multitud de técnicas para autoaplicarse, en el caso que así lo considere oportuno.

Que lo disfrute.

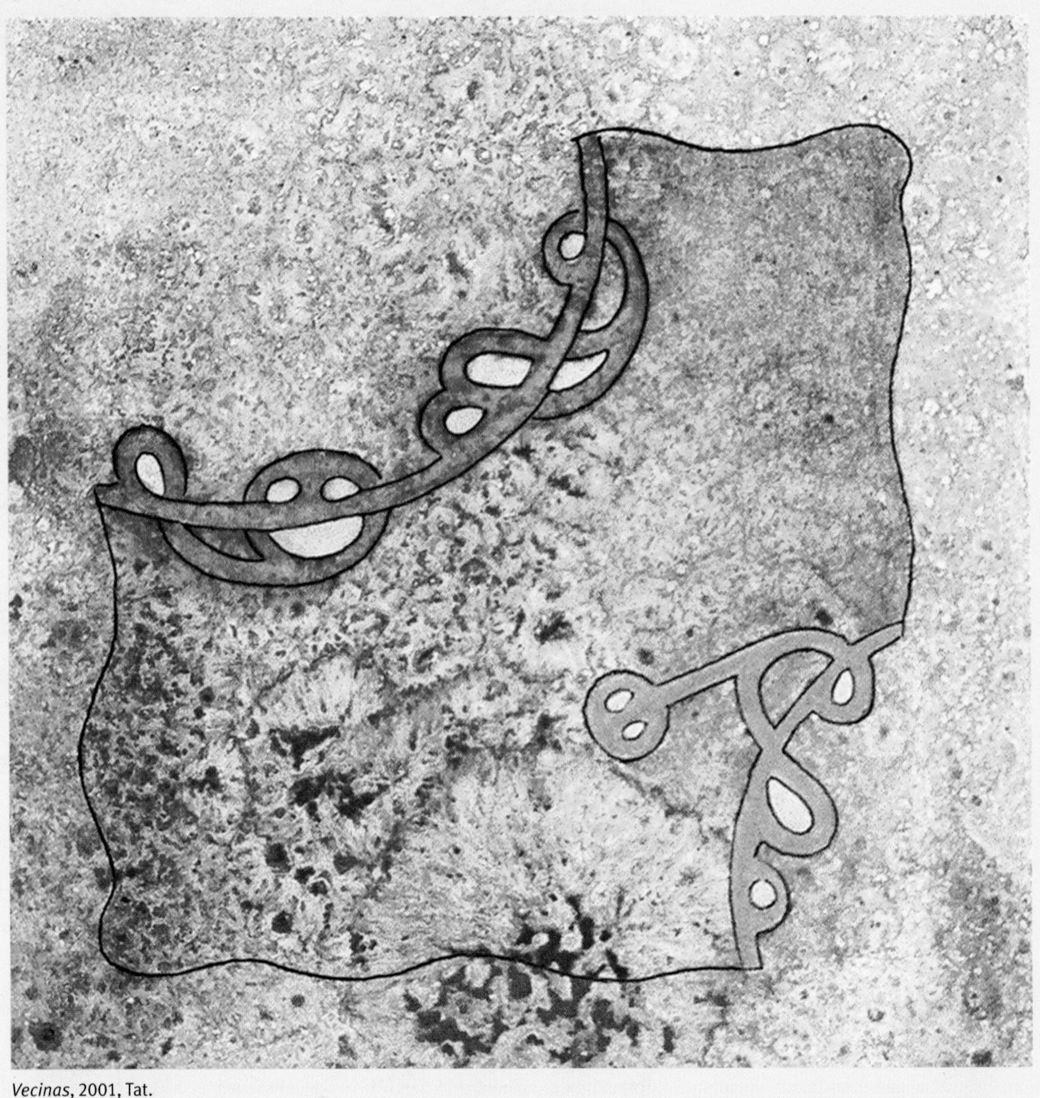

Vecinas, 2001, Tat.

«La mente posee en su interior millones de años de recuerdos y de instintos, y el impulso de trascender todo eso sigue formando parte de ella».
El Camino de la Liberación, **Jiddu Krishnamurti**

DEL MAGNETISMO ANIMAL HASTA EL LEGADO ERICKSONIANO

El uso del *trance* con intención de sanar física o espiritualmente a una persona sufriente es una práctica tan antigua como el hombre. Ello implicaba una profunda sabiduría o capacidad de ir a «otra realidad» por parte del sacerdote, brujo o curandero, que es quien solía entrar en trance para obtener la capacidad de «ver» y diagnosticar. Mediante cánticos, rezos, o monótonos discursos y gestos ceremoniales, se inducía también en el doliente un estado alterado de consciencia, con el fin de expulsar a los espíritus causantes de la enfermedad, y así recuperar el estado de equilibrio psicofísico.

En nuestra sociedad, el uso de la persuasión también ha sido una constante en el discurrir de la medicina, ya que con el objetivo de reducir el miedo y la preocupación ante la enfermedad, se han usado todo tipo de sugestiones para inducir calma o para destacar la eficacia de los procedimientos o brebajes empleados por el sanador.

Ya Hipócrates (460-377 a.C.), el «padre de la medicina», consideraba que el cerebro no solo servía para pensar, sino que controlaba el cuerpo, las emociones y el estado de salud/enfermedad del individuo.

También Galeno (129-199 d.C.) creía que la mente y el cuerpo estaban unidos por un «fluido etéreo», de manera que una alteración mental podía enfermar el cuerpo y viceversa. Y afirmaba que se podía influir sobre ese flujo y así modificar el curso de la enfermedad.

Siglos más tarde, el médico y astrólogo suizo Paracelso (Theophrastus Bombastus von Hohenheim, 1493-1541) retomó la teoría de la existencia de un flujo celestial que circulaba por el organismo humano y animal (*astrum in corpore*), cuyo desequilibrio originaba los trastornos nerviosos.

Y así, siguiendo las doctrinas de Paracelso, nació la hipnosis moderna hace unos 250 años aproximadamente, cuando el médico y filósofo austríaco Franz Anton Mesmer llegó a París, en aquel entonces el centro del mundo moderno, con su teoría sobre el «magnetismo animal», que postulaba que los efectos magnéticos provenían de un fluido sutil procedente de los planetas.

Su primer gran éxito había sido en 1773, en Viena, al lograr curar a una joven que sufría convulsiones colocándole unos imanes sobre su estómago. Su fama había crecido tan rápidamente, que en pocos años instaló en el Hotel de Bouillon, en París, cuatro *cubetas magnéticas* que funcionaban sin cesar día y noche. En tales cubetas colocaba unos hierros magnetizados donde los pacientes se ataban, y al cabo de largos minutos entraban en trance, agitándose hasta sudar y convulsionar, creando una catarsis colectiva que era lo que aparentemente les sanaba de sus males. Y aunque se sugirió que algunas curas podían ser resultado de la imaginación del paciente, Mesmer insistió en su teoría de fluidos magnéticos que describió en su tesis doctoral *de Planetarum Influxu in Corpus Humanum.*

El centro fue tan popular que allí acudía la alta sociedad parisina y la nobleza francesa incluida la reina María Antonieta. Esto desató el recelo del rey Luís XVI, quien en 1784 nombró una Comisión de Investigación para que se estudiaran los fenómenos descritos por Mesmer, y la conclusión fue inapelable:

«Se ha comprobado que la imaginación sin magnetismo puede producir convulsiones, y que el magnetismo sin imaginación no produce nada, así que nada prueba la existencia del llamado magnetismo animal».

Tras la sentencia de la Academia de Ciencias, las prácticas mesméricas fueron desvalorizadas e incluso perseguidas. Mesmer acabó abandonando París y falleció en Suiza en 1815, pero su leyenda continuaba extendiéndose y provocando curiosidad.
Uno de los mayores divulgadores de sus técnicas fue el marqués de Puységur, discípulo de

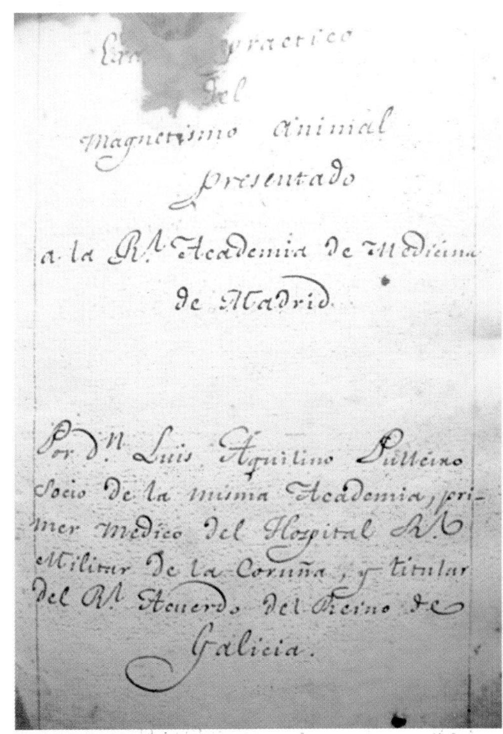

práctico
del
magnetismo animal
presentado
a la Rl. Academia de Medicina
de Madrid.

Por Dn. Luis Aquilino Pulleiro
Socio de la misma Academia, primer médico del Hospital Rl.
Militar de la Coruña, y titular
del Rl. Acuerdo del Reino de
Galicia.

Examen práctico del Magnetismo Animal presentado a la Real Academia de Medicina de Madrid, 1817. Luis Aquilino Pulleiro, primer médico del Hospital Real de La Coruña.
Con este «examen» trató de verificar la existencia de la teoría que circulaba entre los galenos de la época, la del «magnetismo animal». Esta doctrina proviene de la concepción del universo ligada a la alquimia europea de los siglos XVI y XVII.

Mesmer, quien usó el nombre de «sonambulismo artificial» porque los efectos obtenidos se asemejaban más a un suave adormecimiento, sin necesidad de las violentas crisis convulsivas producidas en el Hotel de Bouillon. Puységur se dio cuenta de que los imanes no eran imprescindibles para lograr que la persona pudiera comportarse de una forma diferente y cumplir las órdenes sugeridas por el magnetizador.

Paralelamente, el padre José Custodio Faria, llegado de Goa –una zona bajo dominio portugués en la India–, tampoco creía que las sanaciones fueran debidas a influjos magnéticos, sino a lo que él designó «fascinación». Su técnica consistía en levantar una cruz ante los ojos del paciente, ordenándole súbitamente con voz potente y autoritaria: «¡DUERME!», cayendo el enfermo inmediatamente en un estado catatónico.

Más tarde, el general François Joseph Noizet, discípulo del abad Faria, recogió su práctica en *Mémoire sur le somnambulisme* (1820).

Personajes destacados en la historia de la hipnosis del siglo XVIII

- Franz Anton Mesmer (1734-1815), y su teoría de los fluidos magnéticos.
- Armand Marie Jacques de Chastenet, marqués de Puységur (1751-1825), fue autor de términos como «sonambulismo artificial» y «clarividencia».
- Abad Faria (1746-1819), y su teoría de la fascinación.

A principios del siglo XIX, varios cirujanos británicos experimentaron con estas técnicas para poder operar sin dolor. La anestesia farmacológica aún no estaba descubierta, pues la primera utilizada fue en 1844, cuando Horacio Wells se hizo extraer una muela con N_{20} o gas hilarante; el éter y el cloroformo empezaron a usarse tres años más tarde.

Entre ellos destacó el Dr. John Elliotson, presidente de la Real Sociedad de Medicina y Cirugía en Londres, quien estudió los efectos del magnetismo de Mesmer sobre el sistema nervioso. Aunque tuvo que acabar dimitiendo cuando la Universidad londinense le prohibió sus prácticas, en 1846 fundó el Mesmeric Hospital en Londres, y editó una revista llamada *Zoist* en la que se describían exitosos casos de pacientes tratados con hipnosis.

En esa misma época, un cirujano escocés llamado James Esdaile, seguidor de los trabajos de Elliotson, realizó numerosas intervenciones quirúrgicas bajo anestesia hipnótica en Calcuta, creando finalmente su propio hospital mesmérico en la India.

En su libro *Mesmerism in India and its practical apllication in surgery and medicine* (1846) afirmaba que su mortalidad quirúrgica en la India pasó del 25-50% (porcentaje propio de la época) a solo el 5% operando con hipnosis, porque con la mente generaba una mayor resistencia orgánica.

En 1841 otro médico escocés, James Braid, fue quien utilizó por primera vez la palabra hipnosis, derivada del griego *hypnos* (Υπνος) que significa sueño.

Consideraba la hipnosis como un estado de sueño artificial logrado mediante la fijación de la mirada y la concentración en la voz del hipnotizador. Braid rechazó la idea del magnetismo y basó sus teorías en los cambios psicológicos producidos por la fijación de la mirada en un punto luminoso, lo que recogió en su obra titulada *Neurypnology*. En dicho texto afirmaba que «cuanto mayor sea la frecuencia con la que se hipnotiza a un paciente, más susceptible se torna y, consecuentemente, más propenso a ser influenciado a través de la imaginación» (*Neurohipnología*, 1843, p. 36).

Ya a finales del siglo XIX, el Dr. Lièbault junto con el Dr. Bernheim crearon en Francia la Escuela de Hipnoterapia de Nancy, de reputación mundial. Defendían que la hipnosis era resultado de la «sugestión», concepto que introdujeron ellos, y que cualquier persona era susceptible de ser hipnotizada con fines terapéuticos, como mencionaron en sus textos de *La sugestión y de sus aplicaciones en terapéutica* y *El sueño y sus estados análogos*.

Paralelamente, en el Hospital de la Salpêtrière de París, el célebre neurofisiólogo Dr. Jean Martin Charcot rivalizaba con la escuela de Nancy defendiendo que la hipnosis no era un estado normal, sino un estado patológico propio de las personas con histeria. De hecho, Charcot presentó en 1880, ante la ya mencionada Academia de Ciencias, un extenso informe sobre el estado de trance hipnótico, y demostró que era posible producir una parálisis mediante hipnotismo, así como recuperar recuerdos olvidados.

Personajes destacados en la historia de la hipnosis del siglo XIX

- John Elliotson (1791-1868), promovió el uso de la anestesia hipnótica en cirugía.
- James Braid (1795-1860), acuñó por primera vez el término *hipnosis*.
- Hippolyte Bernheim (1837-1919) y la Escuela de Nancy, promotores de la teoría de la *sugestión*.
- Jean Martín Charcot (1825-1893), concibió la hipnosis como un fenómeno patológico propio de la histeria.
- Iván Petróvich Pavlov (1849-1936), aportó su teoría del *reflejo condicionado*.
- Pierre Janet (1859-1947), estudió los *automatismos inconscientes*.
- Sigmund Freud (1856-1939), padre del *psicoanálisis*.
- Émile Coué (1857-1926), describió la *autosugestión consciente*.

Pierre Janet, parisino nacido en 1859, se dedicó a la investigación clínica en la Salpêtrière, y dio clases en la Sorbonne (París), y en Harvard (EE. UU.). Su disertación *L'automatisme psychologique* versaba sobre los estados mentales anormales relacionados con la histeria y la psicosis. Su tesis ya contenía el concepto de *mente subconsciente*, idea desarrollada posteriormente por Freud. P. Janet empleó la escritura automática y la hipnosis para identificar los orígenes traumáticos, y explorar así la naturaleza del automatismo, describiendo la relación entre el pensamiento y la conducta.

Las investigaciones y demostraciones de Charcot con sus pacientes histéricas también influenciaron al entonces jovencísimo Dr. Sigmund Freud durante su estancia en París. Su amigo el médico vienés Joseph Breuer (1842-1925) le había informado en 1882 sobre sus experiencias hipnóticas en el conocido caso de Anna O., con la denominada *técnica catártica*, concluyendo que «los síntomas desaparecen cuando se elimina su causa susbyacente», así que tres años más tarde Freud decide viajar a Francia para aprender hipnosis. Pero poco a poco Sigmund Freud se decantó hacia la teoría de la sugestión frente a la de la histeria, acercándose más a los postulados de la Escuela de Nancy (donde hizo unas prácticas en 1889) que a los aprendidos con Charcot en la Salpêtrière. Consideró que los pacientes bajo los efectos de la hipnosis activaban recuerdos reprimidos (al mecanismo de lucha para olvidar aquello que fuera penoso le llamó *represión*). Esa rememoración de lo reprimido provocaba una descarga emocional llamada «catarsis», en la que el paciente se liberaba del trauma de un suceso ante el que no había podido reaccionar. Este método fue utilizado por Breuer y Freud durante quince años, desde 1880 a 1895. Tras obtener la catarsis hacían un trabajo de elaboración (análisis) para que los elementos reprimidos recuperaran su lugar en la vida psíquica consciente, lo cual fue el origen del Psicoanálisis.

Posteriormente Freud fue abandonando la práctica de la hipnosis pero siempre conservó el uso del diván, de la sugestión y de la asociación libre del paciente.

En 1882 se fundó la Society for Psychical Research con el objetivo de investigar la influencia que una mente puede ejercer sobre otra, excluyendo todo modo de percepción generalmente conocido.

Ya durante la última década del XIX y primera del XX, el neurofisiólogo berlinés Oscar Vogt desarrolló un método de hipnosis no autoritaria en la que, en lugar de ordenar las instrucciones directamente, insinuaba amablemente lo que quería que hiciera o percibiera el paciente. Además Vogt observó que algunas personas eran capaces de inducir sus propios estados semejantes a la hipnosis, que designó *autohipnosis*, lo que parecía tener un valor terapéutico si se inducían varias veces al día.

También el español Santiago Ramón y Cajal, quien consagró toda su vida al estudio de las neuronas y fue premio Nobel de Medicina en 1906, practicó la hipnosis con su propia esposa cuando esta dio a luz.

Otro premio Nobel de Medicina (1913), el francés Charles Robert Richet, publica el *Tratado de metapsíquica* en 1923, entendiendo por metapsíquica la ciencia que estudia los fenómenos que parecen deberse a fuerzas inteligentes desconocidas, comprendiéndose entre las mismas los sorprendentes fenómenos intelectuales de nuestro inconsciente.

Durante la Primera Guerra Mundial los ejércitos emplearon la hipnosis entre los soldados. Destacan los artículos de Charles Myers, quien en 1916 describe el uso de la hipnosis para aliviar síntomas postraumáticos tales como la amnesia, o las reacciones de conversión. Y el británico W. H. Rivers, quien mediante hipnosis lograba la que designó «re-educación», hoy conocida como «restructuración cognitiva».

Durante la Segunda Guerra Mundial destacaron los trabajos de John G. Watkins, psicólogo de la división neuropsiquiátrica de un hospital de convalecencia del ejército, quien presentó una rica descripción de las técnicas hipnóticas aplicadas en el tratamiento del estrés post-traumático en su obra *Hypnotherapy of war neuroses* (Nueva York: The Ronald Press Company, 1949).

El psiquiatra español Emilio Mira reconoció durante la Guerra Civil Española que «la hipnosis leve es una técnica útil para pacientes imaginativos y emocionales» (Mira, 1943).

Los experimentos realizados en Rusia por Pavlov lograron explicar la hipnosis como un fenómeno de inhibición cortical, y junto con las investigaciones de Clark Hull en Yale (*Hipnosis and Suggestionability*, 1933), produjeron un gran avance en el estudio científico de los fenómenos hipnóticos.

En 1926 J. H. Schultz presenta en la Asociación Médica de Berlín los primeros resultados obtenidos con su *entrenamiento autógeno*, elaborado a partir de las observaciones realizadas durante la práctica de la hipnosis con Oscar Vogt. Schultz observó que se producían casi universalmente una serie de reacciones del Sistema Nervioso Parasimpático: pesadez en los miembros, calor en manos y pies, respiración lenta, etc. Decidió ensayar la administración de sugestiones directas para provocar esos efectos. Así, el sujeto se repite «mi brazo derecho está pesado», hasta lograr ese peso, u otra serie de sugestiones que se han denominado *fórmulas autógenas*, dirigidas a provocar la llamada «conmutación neurovegetativa». En el año 2002, Stetter y Kupper evaluaron la eficacia clínica del Entrenamiento Autógeno a partir de los estudios publicados entre 1952 y 1999. Las aplicaciones más efectivas se dieron en casos de migrañas, hipertensión, problemas coronarios, asma bronquial, dolor somatiforme, trastornos de ansiedad, de-

El movimiento de las lágrimas, 2002, Tat.

presión moderada, y trastornos funcionales del sueño.

En 1934, Edmund Jacobson publicó su método de «relajación progresiva» como una forma de controlar la tensión muscular, después de observar que, en muchos casos, el paciente no era consciente de sus tensiones. Su sistema se basa en tensar y relajar grupos de músculos en un orden preestablecido. El procedimiento incluía quince grupos de músculos y el entrenamiento podía llegar a 56 sesiones de hasta 8 horas diarias, así que muchos hipnólogos vieron esta técnica como innecesariamente larga y monótona, y la adaptaron a su práctica de un modo mucho más breve. En 1958 Wolpe adopta el sistema de Jacobson para trabajar en «desensibilización sistemática», entendiendo que la relajación muscular es una respuesta incompatible con la ansiedad.

Ya en los años sesenta, la hipnosis experimenta un nuevo renacimiento en los Estados Unidos, de la mano de investigadores como M. Erickson, T. X. Barber y H. Spiegel entre otros. Y es que el psiquiatra Milton Erickson y la escuela de Palo Alto norteamericana le dieron un importante empuje al distanciarse definitivamente de las técnicas autoritarias clásicas, en aras de un lenguaje hipnótico basado en la comunicación y el desarrollo de las potencialidades del propio paciente. Este enfoque naturalista, estratégico y proactivo, es el denominado «enfoque ericksoniano», y describe la hipnosis como una herramienta psicoterapéutica que utiliza el sistema de creencias y recursos internos de la persona. En 1958, M. Erickson fundó la American Society of Clinical Hypnosis dependiente de la Asociación Psiquiátrica Americana, lo cual supuso un importante apoyo a la actividad científica, terapéutica y experimental de numerosos profesionales del mundo de la salud.

A partir del legado ericksoniano se han desarrollado las terapias breves estratégicas, inspiradas inicialmente en sus métodos hipnóticos y psicoterapéuticos.

En realidad, las aportaciones de Erickson fueron tan variadas e importantes que a su fallecimiento en 1980 se llevó a cabo el Primer Congreso Internacional de las Aportaciones Ericksonianas a la hipnosis y la Psicoterapia, al que asistieron 2.000 congresistas de veinte países diferentes, constituyendo el evento más grande realizado sobre hipnosis hasta entonces. Estos congresos se han seguido celebrando y han llegado a reunir 7.000 participantes. [1]

En el año 2001, el Comité de Asuntos Profesionales de la Sociedad Británica de Psicología encargó una investigación sobre la hipnosis y sus aplicaciones.

Para ello se formó una comisión de trabajo, cuyo informe final, titulado *The Nature of Hypnosis*, se encuentra en la web de la Sociedad Británica de Psicología (http://www.bps.org.uk/), es de libre acceso y tiene permiso explícito de reproducción. Dicho informe establece que «la hipnosis es un tema válido para el estudio e investigación científicos, y es, además, una herramienta terapéutica de eficacia probada en el tratamiento de un amplio rango de condiciones y problemas, tanto del campo de la medicina como de la psiquiatría o la psicoterapia».

Personajes destacados en la historia de la hipnosis en el siglo XX

- Johannes Heinrich Schultz (1884-1962), creador del método de autohipnosis llamado *Entrenamiento Autógeno de Schultz*.
- Edmund Jacobson (1888-1983), propone su Relajación Progresiva.
- Milton Erickson (1901-1980), potenció la actual corriente naturalista.
- Alfonso Caycedo Lozano (Bogotá, 1932), fundó su escuela de Sofrología en Madrid en 1960
- Programación Neuro-lingüística, creada en 1973 por R. Bandler y J. Grinder a partir del estudio de los trabajos de M. Erickson, V. Satir y F. Perls.

[1] Actualmente, a fecha de agosto de 2010, la Milton H. Erickson Foundation cuenta con 135 institutos establecidos por todo el mundo.

Del amarillo al rojo, 2001, Tat.

«Ahora estamos empezando a averiguar lo que la mente humana es capaz de hacer.
Nuestra evolución cognitiva tan solo acaba de comenzar, y a partir de ahora,
esa evolución puede ser más consciente y más deliberada».
Dr. Richard Bandler, *La magia en acción*

TRANCE Y FENÓMENOS HIPNÓTICOS

Teorías sobre la hipnosis 20

La hipnosis es un fenómeno psicológico complejo cuya definición es igualmente compleja, por lo que se suele definir por sus formas de lograrlo, por sus efectos, o por la teoría sobre cómo se genera el trance.

Y así, según la prestigiosa British Psychological Society (2001), «el término hipnosis denota una interacción entre una persona, "el hipnotizador", y otra persona o personas, "el sujeto o los sujetos". En esta interacción el hipnotizador intenta influir en las percepciones, sentimientos, pensamientos y conductas de los sujetos pidiéndoles que se concentren en ideas e imágenes que evoquen los efectos deseados.

»Las comunicaciones verbales que el hipnotizador utiliza para alcanzar estos efectos se llaman "sugestiones hipnóticas". Las sugestiones se diferencian de otras clases de instrucciones cotidianas en que implican que el sujeto experimenta la respuesta como involuntaria y sin esfuerzo.» Y afirma que «los fenómenos o efectos hipnóticos comprenden: un cambio en la conciencia y la memoria, una mayor susceptibilidad a la sugestión, y la aparición de respuestas y de ideas que no le son familiares en su estado anímico habitual. Sucesos como la anestesia, parálisis, rigidez muscular y modificaciones vasomotoras pueden ser producidos o suprimidos bajo hipnosis».

Así mismo, si revisamos la definición formal que la reconocida Sociedad de Hipnosis Psicológica de la División 30 de la American Psychological Association (APA) publica en su web oficial [1], nos encontramos con que hace las siguientes consideraciones:

- «En hipnosis suele hacerse una presentación del procedimiento explicándole al paciente que se le van a realizar una serie de sugestiones de experiencias imaginativas».
- Posteriormente define la «inducción hipnótica» como «una sugestión inicial más o menos larga

[1] Esta definición y descripción de hipnosis ha sido preparada por el Comité Ejecutivo de la APA, Division de Hipnosis Psicológica. El permiso de reproducción del documento está autorizado en: http://psychologicalhypnosis.com/info/the-official-division-30-definition-and-description-of-hypnosis/.

que usa la imaginación del sujeto, y que puede contener los elementos que han sido presentados durante la introducción más elaborados».

- Luego da una explicación de para qué sirve un procedimiento hipnótico y en qué consiste: «El procedimiento hipnótico se usa para provocar y evaluar las respuestas a las sugestiones. Cuando se usa hipnosis, una persona (el sujeto) es guiada por otra (el hipnotizador) para provocar una respuesta a sugestiones encaminadas a producir cambios en la experiencia subjetiva y alteraciones en la percepción, sensación, emoción, pensamiento o comportamiento».

Y seguidamente da una serie de valoraciones generales:

- «Se puede aprender *autohipnosis*, que es el acto de administrar procedimientos hipnóticos sobre uno mismo».
- «Si el sujeto responde a las sugestiones hipnóticas, por lo general se asume que se ha producido una inducción hipnótica».
- «Muchas personas creen que las respuestas y las experiencias hipnóticas son características de un *estado* hipnótico», aunque también hay autores que defienden la teoría del «no-estado».
- «Mientras algunos piensan que no es necesario usar la palabra *hipnosis* como parte de la inducción hipnótica, otros lo consideran esencial».

Teorías sobre la hipnosis

Existen diferentes teorías que intentan explicar la hipnosis desde puntos de vista distintos. Según Kirch y Lynn (1995), parte de las discrepancias vienen dadas porque por hipnosis se entienden por lo menos tres constructos diferentes:

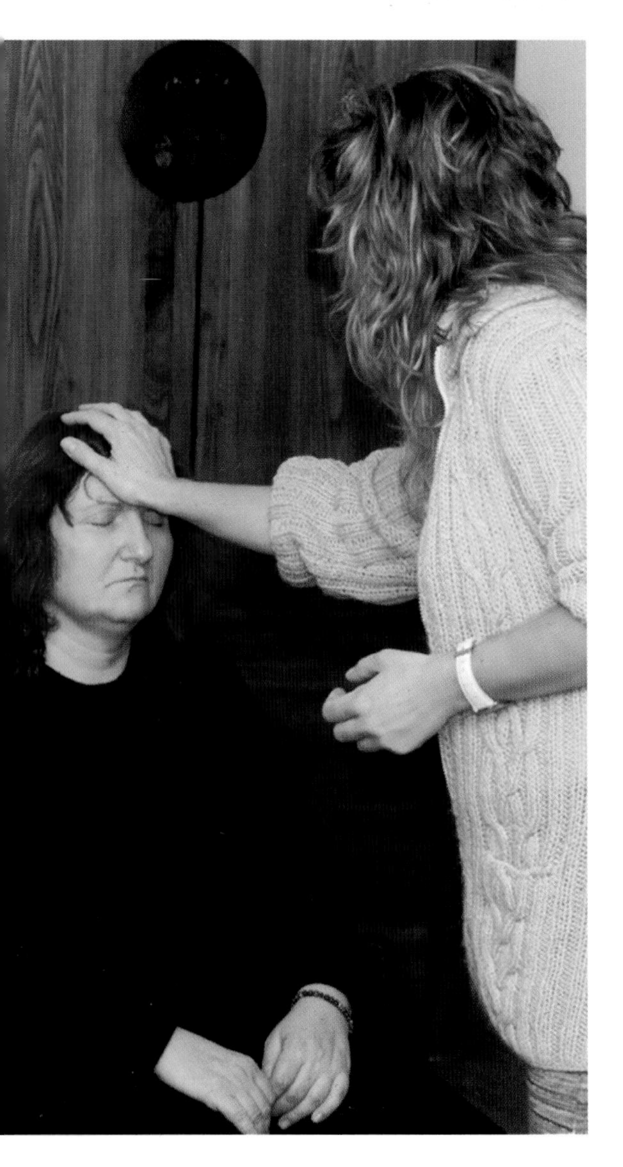

1 Desde el punto de vista de la COMUNICACIÓN, la hipnosis moderna es un conjunto de técnicas comunicacionales conducentes a desarrollar en el sujeto un proceso que, por convención, se llama hipnótico, y que puede constituir un contexto de cambio para el paciente.
Como comenta T. Barber (1988): «El modo en que los individuos responden a las sugestiones depende menos de los procedimientos de inducción formales (que aspiran a producir relajación, quietud mental y concentración en las ideas comunicadas por el terapeuta con la concomitante desatención a otros problemas), y mucho más de la relación interpersonal entre el sujeto y el terapeuta, la capacidad del paciente para imaginar, fantasear y tener experiencias parecidas a las hipnóticas; las expectativas, actitudes y creencias acerca de la situación; y la interacción momento a momento del terapeuta con el paciente, en la que se incluye el modo de atacar el problema, el tipo de sugestiones específicas que ofrece y la forma en que el paciente interpreta las sugestiones.» El trance hipnótico es, por tanto, fruto de la comunicación (Malarewicz, 1990).

2 También se entiende por hipnosis un concreto ESTADO DE FUNCIONAMIENTO MENTAL, con sus correlatos psicofisiológicos en respuesta a las sugestiones, llamado tradicionalmente «trance hipnótico».

Desde este punto de vista, la hipnosis es un estado alterado de conciencia caracterizado por un marcado incremento de la receptividad a la sugestión, por la capacidad para modificar la percepción y la memoria, y por el potencial para un control sistemático de una variedad de funciones usualmente involuntarias (como actividad glandular, actividad vasomotora, etc.).

3 Por último, por hipnosis se entiende también la EXPERIENCIA SUBJETIVA DE UNO MISMO en dicho estado mental.
Esta experiencia subjetiva va a depender del momento del Ciclo Vital del paciente, de la historia única de sus aprendizajes, y de otra serie de variables personales (por ejemplo, el nivel de cansancio) y contextuales (por ejemplo, las personas muestran mayor sugestibilidad cuando consideran que están sometidas a una situación de peligro para su integridad física).

Con todo ello se puede decir que hay diversas teorías para explicar en qué consiste la hipnosis, según se haga mayor énfasis en un elemento o en otro:

- **Teoría de la sugestión.** Siguiendo a Ambroise August Liebeault, se postula que la hipnosis se produce por sugestión. Heap afirma que «una sugestión es una comunicación transmitida verbalmente por el hipnotizador, con el fin de orientar la imaginación de la persona, de forma que permita provocar un cambio en la manera de comportarse, pensar o sentir» (1996). Según este mismo autor, el trance es un estado mental en el que la atención del sujeto se aleja de su contexto inmediato en lo que se refiere a sentimientos, pensamientos e imaginería, de tal manera que sería el equivalente al acto de soñar despierto. La sugestionabilidad es la medida en que un individuo está dispuesto a aceptar propuestas de forma no crítica. De manera que cuanto más sugestionable es la persona como rasgo de personalidad, más fácilmente se le induce a la hipnosis (Heap, *Hypnosis in theraphy*, 1991). Según R. Hambleton, «en el trance hay una reducción o suspensión de la capacidad crítica y la persona acepta sin cuestionamiento las sugestiones, de forma que durante la fase post-hipnótica la mente inconsciente las ejecuta automáticamente» (2002).

- **Teoría de la respuesta condicionada.** Propuesta por Ivan Petrovich Pavlov. Afirmaba que tanto los animales como los humanos aprendemos las respuestas frente a ciertos estímulos por repetición. Dicha repetición genera inercias y automatismos que llamó *respuestas condicionadas*. Según él, las zonas cerebrales relacionadas con la crítica (el córtex cerebral) se inhiben bajo hipnosis, mientras toman el mando las zonas más primitivas (sistema límbico) que son más susceptibles a las sugestiones. Si ciertos mensajes se repiten durante la inhibición cortical, se crea una respuesta condicionada de naturaleza hipnótica. Por ejemplo, si se sugiere la palabra *calma* mientras se unen los dedos índice y pulgar de la mano derecha, este gesto puede llegar a producir tranquilidad y relajación por respuesta condicionada.

- **Teoría psicoanalítica.** Según Freud, la mente inconsciente está constituida por toda aquella información oculta a través de mecanismos de defensa destinados a disminuir la ansiedad y el miedo. Durante la hipnosis se produce una descarga de esta información reprimida que llega inevitablemente a la consciencia.

- **Teoría de la disociación.** Propuesta por Pierre Janet, quien consideraba que la histeria (forma de neurosis caracterizada por la represión, la disociación y la vulnerabilidad a la sugestión, según el *Diccionario Médico de Oxford* de 1998) está causada por la escisión de la mente en dos partes, de las cuales la inconsciente se vuelve dominante. Esta división de la mente durante la histeria la consideró idéntica a la de la hipnosis, y la designó *disociación*: proceso por el cual los pensamientos pueden escindirse de la consciencia y funcionar con independencia de ella».

- **Teoría del *rol-playing*.** Propuesta por T. X. Barber en 1974, quien defendía que la persona en trance hipnótico se esfuerza por interpretar el papel de una persona hipnotizada, tratando consciente e inconscientemente de actuar tal y como se espera de ella en dicha situación. No obstante, eso no parece ser suficiente para producir algunos efectos como la anestesia psicológica o los actos mecánicos involuntarios.

Así pues, tal y como afirma Waxman en *Hartland's Medical and Mental Hypnosis* (1989) «Parece que nuestro conocimiento presente relativo al comportamiento humano no es suficiente para producir una teoría completa y satisfactoria sobre la hipnosis. Cuando tratamos de definirla con la precisión necesaria, solo describimos el resultado final.
En la mayoría de los trances, tanto la sugestión, como la disociación y el condicionamiento participan en alguna medida».
Ya desde los tiempos de J. Braid se argüía que un «estado de trance» implica una reducción de

la potencia de la mente lógica y consciente, disminuyéndose de alguna forma la facultad crítica del sujeto. Se considera que la persona hipnotizada es capaz de ser más creativa o imaginativa porque las restricciones impuestas por la mente lógica están minimizadas. «Y si la mente lógica se reduce, la razón ya no constriñe la toma de decisiones, por lo que el individuo es más creativo y sugestionable que de ordinario» (P. Hawkins, 1998).

Ello implica también una alteración en los procesos lingüísticos. En «la lógica del trance», las palabras se interpretan literalmente porque la comunicación se focaliza en las palabras mismas, más que en las ideas que expresan. Por eso, con la disminución del juicio crítico a la hora de procesar el lenguaje, hay un incremento de la tolerancia a la incongruencia. Así que no es de extrañar que los tratados de oratoria, el efecto placebo, la influencia de masas, las sectas, el márquetin publicitario, etc., se basen también en el uso del lenguaje hipnótico-sugestivo como ya se apuntaba en el primer capítulo.

Aunque toda persona es susceptible de experimentar un mayor o menor grado de trance hipnótico, históricamente se ha clasificado a los pacientes en altamente sugestionables, de medio y de bajo nivel de sugestionabilidad, entendiendo esta como la tendencia a vivir como reales las sugerencias hipnóticas.

El nivel de sugestionabilidad viene influido por factores como la capacidad de atención, de imaginación, de creatividad y de abstracción de la persona, así como su grado de reconocimiento de los procesos internos (la «toma de consciencia»). Se considera que cuanto mayor es la inteligencia y la capacidad de abstracción de la persona, más fácil es lograr el trance hipnótico, mientras que personas con escasa creatividad o que no logran concentrarse suelen presentar dificultades. Por ello la hipnosis no es un buen procedimiento a aplicar en personas de bajo coeficiente intelectual, con esquizofrenia, o con perturbaciones mentales que impliquen un alto grado de dispersión o de déficit atencional. Varios estudios han demostrado también que la hipnotizabilidad no está en relación con la cre-

INFO

Aunque el concepto de hipnosis pueda variar según el modelo explicativo que la conceptualice, las definiciones más aceptadas internacionalmente afirman que es un conjunto de procedimientos que promueven la concentración de la atención y el aumento de la sugestionabilidad de la persona. De esta forma es posible sugerir cambios en la experiencia subjetiva, es decir, alteraciones en la percepción, emoción, pensamiento y conducta del individuo hipnotizado. Y así, la hipnosis se define como el proceso por el que un sujeto, designado como «el hipnotizador», sugiere a otra persona, designada como «el paciente» que experimente diversos cambios sensitivos –como el alivio del dolor–, cognitivos –por ejemplo, reformular creencias– o motores –como la levitación del brazo–. Si el sujeto responde a las sugestiones hipnóticas, generalmente se infiere que la hipnosis ha sido inducida. Si bien algunos defienden que no es necesario el uso explicito de la palabra «hipnosis» como parte del procedimiento, otros lo consideran esencial para afirmar que se ha logrado la hipnosis.

dulidad, la sumisión, o el conformismo social. En cambio sí hay relación con la capacidad de la persona para dejarse absorber o ensimismarse en actividades como la lectura, la audición de música y el soñar despierto.
Por otro lado, se ha venido llamando «resistencia» a la dificultad que tienen ciertos individuos de aceptar experimentar el tipo de vivencia designada *trance hipnótico*, la mayor parte de las veces a causa de prejuicios, miedos, o falta de información al respecto: miedo a perder el control, temor a revelar secretos íntimos, miedo a encontrarse con un inconsciente dañino o doloroso, temor a entregar la voluntad a otra persona, temor a no despertar del trance, etc. No obstante, se observa que esta resistencia se minimiza cuando el clínico dedica un tiempo inicial a desmitificar lo que es y lo que no es la hipnosis, recordando

que el proceso es de la persona, nunca del hipnotizador –quien únicamente acompaña, guía y propone, siendo el individuo quien acepta o no las sugerencias–. Un buen ejemplo es el caso de un deportista y su entrenador personal. El técnico, tras el análisis de las capacidades del atleta, le propone mecanismos para optimizar su rendimiento; pero indudablemente es el deportista quien realiza la gesta gracias a sus habilidades, fortaleza y entrenamiento. Eso sí, tiene que existir una confianza mutua que permita la suma de esfuerzos con un objetivo común. Así la relación terapeuta-paciente debe contar también con un buen *rapport*, es decir, un clima de buen entendimiento y sinergia.
Las personas hipnotizadas no se comportan como autómatas pasivos, sino como activas resolutoras de problemas, aunque el sujeto hipnotizado suele experimentar la conducta hipnótica como algo sin esfuerzo, que sucede por sí solo, sin más, y pueden afirmar cosas como «la mano se me ha elevado» o «me ha venido tal palabra», o «me apareció tal recuerdo sin saber por qué».
Según su profundidad, el trance hipnótico se clasifica en:

› **Trance superficial o leve.** En él podemos observar parpadeo y movimientos oculares, respiración enlentecida, leve palidez facial, rigidez de párpados, labios y extremidades, sutil dilatación de pupilas, etc. Suele producirse una cierta distorsión de la percepción del tiempo, que se acorta o se alarga.

› **Trance medio.** En el que aparece una clara economía de movimientos por sensación de embotamiento o pesadez, disminución de la frecuencia cardíaca y respiratoria, disminución de la tensión arterial, inmovilidad del cuerpo (catalepsia) o de una parte de él, aparición de movimientos involuntarios, ilusiones espontá-

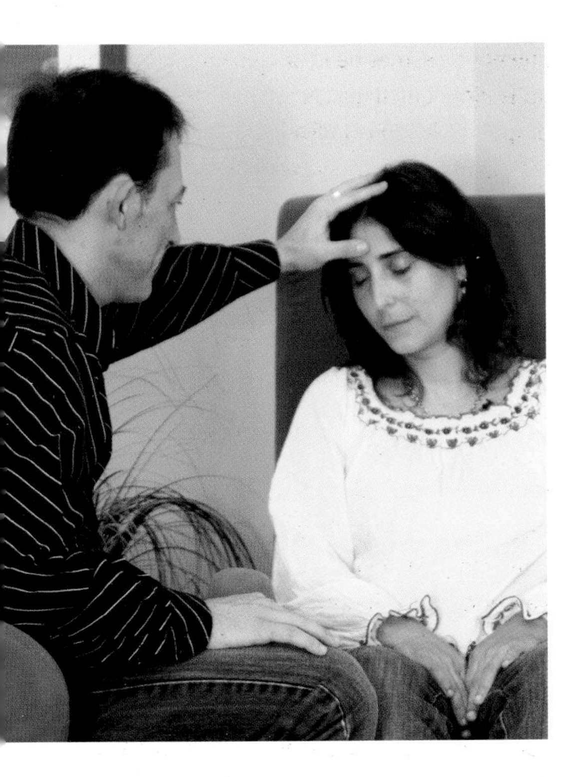

neas, hipoestesia (sensación de acorchamiento en algunas partes del cuerpo) y tendencia a la disociación (distanciamiento de uno mismo, como viéndose desde afuera).

› **Trance profundo o sonambúlico.** Bastante menos frecuente, pueden aparecer alucinaciones (tanto positivas –ver algo que no existe– como negativas –dejar de ver algo que sí que existe–), amnesia, anestesia del cuerpo o de alguna de sus partes, regresión de edad, etc. En este nivel se han descrito fenómenos extraordinarios como la xenoglosia (hablar lenguas extranjeras desconocidas para el individuo), la precognición o la clarividencia, cuya veracidad o falsedad no será objeto de debate en el presente texto.

Se les concede más importancia, hoy día, a las llamadas «respuestas ideodinámicas». Estas son la consecuencia del fenómeno psicológico por el cual un pensamiento se transforma en:

› **Un acto motor involuntario.** Respuesta ideomotora. La idea se transmite en un movimiento simple, involuntario y automatizado, de una parte del cuerpo como un dedo, o la levitación de la mano. O bien al contrario, produciendo una inhibición del movimiento, como la inmovilidad y rigidez del brazo, o la catalepsia palpebral.

› **Una sensación corporal o una percepción física.** Respuesta ideosensorial. Por ejemplo, puede aparecer frialdad, entumecimiento, sensación de calor o pesadez de la mano. O bien experiencias visuales, olfativas, gustativas o auditivas, que en la literatura médica se han denominado «alucinaciones» para transmitir la calidad de realidad que el sujeto refiere, a pesar de no implicar ninguna psicopatía.

› **Una emoción.** Respuesta ideoafectiva. Es frecuente que en estado de trance se propicie la expresión emocional.

FENÓMENOS HIPNÓTICOS

- Disminución del análisis lógico-racional y crítico.
- Mayor tolerancia a las incongruencias lógicas (lógica del trance).
- Mayor sugestionabilidad
- Disminución del arousal (grado de activación) fisiológico.
- Sensación subjetiva de relajación.
- Sensación de peso o de rigidez del cuerpo o alguna de sus partes.
- Alteraciones en la percepción (visual, auditiva, gustativa, olfativa y táctil).
- Amplificación de la afectividad.
- Aumento de la capacidad imaginativa y creatividad.
- Dstorsión de la percepción temporo-espacial.
- Anestesia, hipoestesia o disestesia de alguna parte del cuerpo.
- Mayor capacidad de disociación.
- Amnesia o hipermnesia.
- Conducta regresiva.
- Automaticidad o involuntariedad (por ejemplo levitación del brazo).

En la práctica clínica los fenómenos hipnóticos más destacados son la focalización de la atención del paciente y el aumento de su sugestionabilidad, así como el incremento cualitativo y cuantitativo de la producción imaginativa, la implicación emocional, y la sensación de relajación o de profundidad en sí mismo.

Los psiquiatras norteamericanos M. Erickson y E. Rossi defendieron la existencia de un *trance cotidiano común*, un estado de consciencia que aparece espontáneamente a lo largo del día, caracterizado por una natural capacidad curativa. En este estado de trance o abstracción contactamos involuntariamente con nuestro mundo interno, accediendo a emociones, vivencias e ideas profundas que facilitan la aparición de intuiciones o *insights* –episodios de revelación o de profundo entendimiento–.

Estos episodios siguen los ciclos ultradianos, apareciendo intermitentemente durante unos minutos cada pocas horas. Aprovechando la capacidad de experimentar estos estados naturales de mayor conexión entre consciente e inconsciente, la sugestión hipnótica facilitaría el restablecimiento del ritmo de descanso, renovación y sanación.

M. Erickson y sus seguidores conciben el inconsciente como aquella parte del ser humano que almacena todas las experiencias vividas, todos los aprendizajes, habilidades y recursos internos que permanecen sin ser usados por la mente durante su manejo consciente. Como un iceberg, la mente lógica apenas conformaría la pequeña parte visible, mientras que la mente inconsciente equivaldría al gran segmento sumergido que contiene absolutamente toda la información restante, ese gran bagaje conformado a lo largo de toda la vida.

La hipnosis es un canal de acceso a esta mente inconsciente. Por supuesto que no es la única forma de acceder a ella –ya se hizo referencia al

natural ritmo ultradiano– , pero es el conjunto de procedimientos que permiten activar el inconsciente de forma controlada y terapéutica.

Las intervenciones hipnóticas a aplicar varían en función de los objetivos y de las características de la persona. Suelen incluir: relajación, concentración de la atención en las sensaciones corporales, evocación de imágenes, creación y uso de símbolos, activación de la memoria y fenómenos regresivos, resignificación y restructuración de algunos pensamientos, uso de metáforas y cuentos universales, sugerencia de acciones específicas, etc.

La hipnosis, en definitiva, es un amplificador que incrementa la apertura y receptividad de la persona, aumentando su capacidad asociativa y el uso de sus propios recursos.

El acompañamiento durante el trance muestra al paciente una nueva manera de pensar y sentir, facilitando el aprendizaje de conductas que podrán ser aplicadas a diversos aspectos de su vida.

Dentro de la luz, 2001, Tat.

«Lo que dejamos atrás y lo que nos espera más adelante
son minucias comparados con lo que nos espera en nuestro interior».
Ralph Waldo Emerson

HIPNOSIS EN LA PRÁCTICA CLÍNICA

Recordemos que la hipnosis no es un fenómeno pasivo donde el hipnotizado se transmuta por la magia del hipnotizador, sino todo lo contrario, un estado bien activo en el que es imprescindible no solo su cooperación, sino su implicación y corresponsabilidad durante todo el proceso.

Por eso es imprescindible que la persona acuda a la consulta por propia iniciativa, y no forzada por parientes o amigos.

Durante la primera entrevista se exploran sus preocupaciones y los datos más relevantes en cuanto a su estado de salud, relaciones familiares y sociales, factores laborales u otros aspectos que pudieran interesar.

Es momento de escuchar atentamente al paciente para recoger toda aquella información que contribuya a su recuperación, crear *rapport* (es decir, un buen entendimiento entre el terapeuta y el consultante), y establecer unos objetivos bien definidos y realistas. Sin duda también es fundamental resolver cualquier duda, temor, o creencia preestablecida en relación a la hipnosis, que solo entorpecería el posterior proceso terapéutico.

En algunos casos se realiza un *test de sugestionabilidad* para explorar cuál es el canal perceptivo dominante de la persona (visual, auditivo o kinestésico) y su grado de reacción a la sugestión propuesta. Hay algunos tests estandarizados como *The Creative Imagination Scale* (Barber y Wilson, 1979), la *Stanford Hypnotic Susceptibility Scale* (Weitzenhoffer y Hilgard, 1959-1962), o la *Escala Martínez Perigod-Asís* (1983). Las pruebas del test pueden ser, entre otras: caída hacia atrás, bloqueo ocular, unión de los dedos, levitación de uno o ambos brazos, etc. Estos test también se emplean como preámbulo de una sesión hipnótica para que la persona se vaya introduciendo en el tipo de sugestiones que se van a proponer, y sus respuestas.

Las principales indicaciones de la hipnosis en clínica son:

- el tratamiento del dolor agudo y crónico,
- el abordaje de los trastornos de ansiedad y los síntomas psicosomáticos, y
- la disminución de la aprensión ante procesos dolorosos o ansiógenos como las intervenciones quirúrgicas, odontológicas u obstétricas.

También se ha demostrado su eficacia como coadyuvante en el cambio de hábitos, y en la adquisición de nuevas habilidades.

La psicoprofilaxis quirúrgica es la preparación psicológica de un paciente antes de ser sometido a una intervención.

Esta preparación facilita la operación quirúrgica y acorta el tiempo de hospitalización. Además se requieren menos calmantes y en general se vive la convalecencia con menor sufrimiento, debido a que la disminución de la «ansiedad previa a cirugía» mejora sustancialmente el sistema nervioso autónomo y la inmunidad.

En cuanto al cambio de hábitos, es sabido que seguir una dieta equilibrada, realizar actividad física adecuada a la edad y estado de salud, respetar los horarios de descanso y sueño, cultivar la relación social con familiares y amigos,

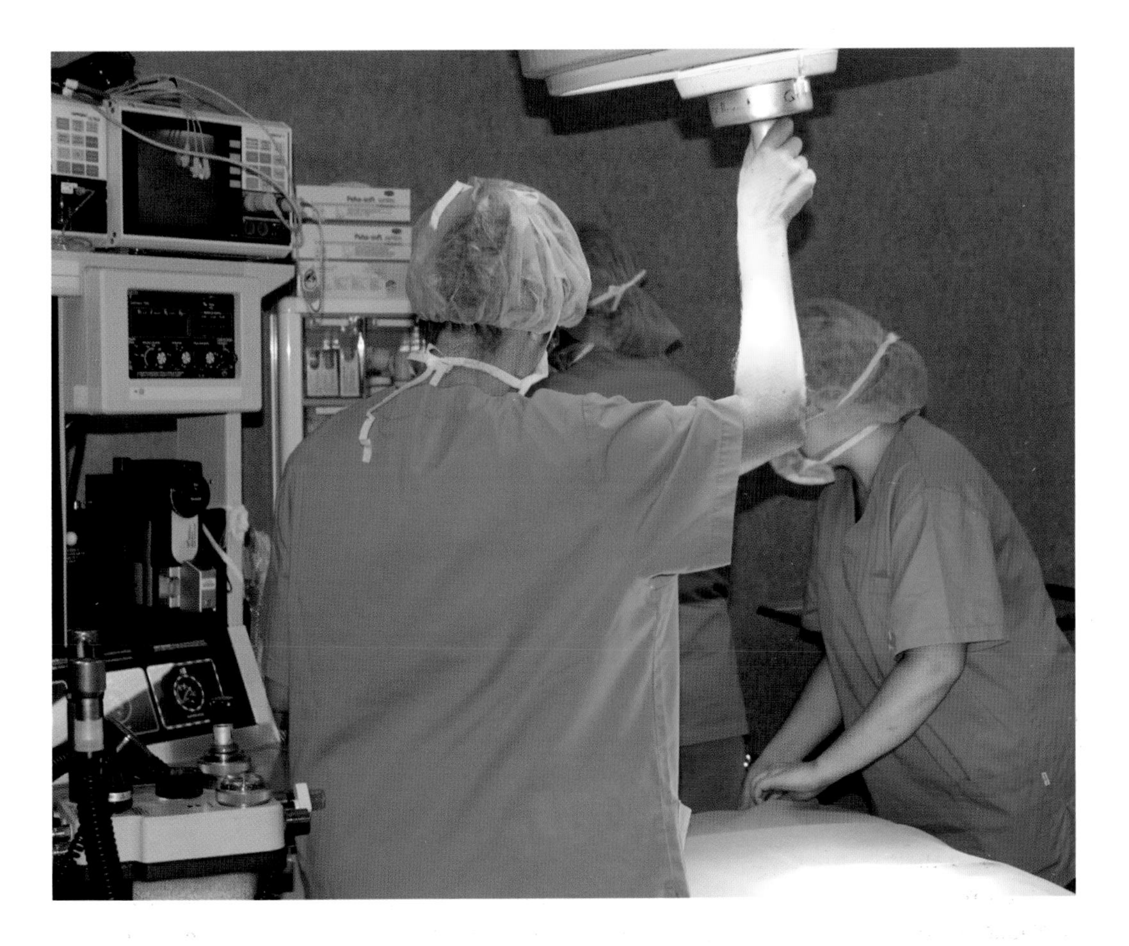

y fomentar las actividades de estimulación intelectual y espiritual, son sinónimos de salud integral. No obstante, saberlo no basta para cumplir esas prescripciones básicas, y un alto porcentaje de individuos comen demasiado o demasiado poco, o a deshoras, o en proporciones inadecuadas.

Otro alto porcentaje se declara fumador, o bebedor, o consumidor de otras sustancias psicoactivas. Y otro mayor porcentaje reconoce llevar una vida sedentaria o con exceso de trabajo, que no coincide con su propia concepción de vida sana. En todos estos casos, el cambio de hábitos supone una feroz lucha entre el «quiero hacer» y el «hago», pues pretendemos lograr el cambio a base de fuerza de voluntad, convirtiendo el éxito en una heroicidad. La hipnosis supone un cambio radical de estrategia, pues transmuta el esfuerzo personal en liberación, y la renuncia en sensación de plenitud. Y aunque no es la panacea, ni puede garantizar el 100% de éxitos, eleva signi-

Indicaciones de la hipnosis clínica

- Dolor agudo y crónico.
- Ansiedad generalizada.
- Fobias.
- Estrés post-traumático.
- Trastornos psicosomáticos.
- Psicoprofilaxis quirúrgica.
- Cambio de hábitos.
- Adquisición de habilidades.

ficativamente la autoconfianza y la percepción de sencillez del proceso, disminuyendo angustias y tensiones.
Precisamente por ello la hipnosis clínica es un tratamiento coadyuvante ideal en el manejo de la ansiedad y control del dolor. El término «coadyuvante» significa que se administra junto a otros tratamientos ya sean farmacológicos, psicoterapéuticos, quirúrgicos, etc., de forma que se potencian unos a otros aumentando su eficacia.

¿Cómo ocurre?

Ante una circunstancia estresante, el cuerpo reacciona liberando una serie de hormonas (adrenalina, noradrenalina y cortisol principalmente) responsables de nuestra respuesta neurofisiológica: taquicardia, hiperventilación, aumento de la fuerza muscular, etc.
Cuando el efecto estresante desaparece, el proceso se revierte volviendo a la normalidad. Pero ante un estado de estrés crónico se pierde la capacidad de regular el sistema porque los niveles de catecolaminas y cortisol son elevados durante todo el tiempo. Es entonces cuando aparecen los trastornos de ansiedad, los síntomas psicosomáticos o de dolor crónico.
Como ya ha sido ampliamente demostrado, la hipnosis es sumamente eficaz en la recuperación del funcionamiento del sistema nervioso autónomo, disminuyendo el llamado «arousal fisiológico», es decir, la respuesta de activación y alerta ante la amenaza.
Por eso mediante hipnosis se logra un descenso de la tensión arterial, se disminuye la frecuencia cardiaca y toda la actividad simpático-mimética, calmando la sensación de angustia. Todo ello resuelve en gran medida el malestar de la persona, permitiendo aliviar sus síntomas y aumentando la eficacia de otros tratamientos administrados de forma coadyuvante.

En estado de vigilia nuestro cerebro emite un tipo de ondas rápidas y de escaso voltaje, que pueden registrarse mediante un electroencefalograma, y que denominamos *ondas beta*. En cambio, cuando entramos en un estado mental más tranquilo, ya sea por relajación, meditación, fascinación, o momento de inspiración creativa, nuestras ondas cambian y se hacen de menor frecuencia y mayor potencial, llamándose entonces *ondas alfa*.
Si ese estado alfa se profundiza mediante hipnosis, se registran otras diferentes llamadas *ondas theta*, muy cercanas a las *ondas delta* que son las emitidas durante el sueño. Así, el trance hipnótico es un estado entre la vigilia y el sueño, como un duermevela.
Tradicionalmente se ha dividido la sesión hipnótica en varias fases, lo que, a efectos más académicos que prácticos, puede ayudar a entender cómo lograr una hipnosis. Estas fases serían:

› inducción del trance,
› profundización,
› reformulación del problema,
› reorientación o salida.

La inducción puede lograrse de diferentes maneras, pero todas ellas emplean técnicas de concentración de la atención, de tal forma que la persona pueda centrarse en sí misma. En los próximos capítulos se expondrán algunos de los métodos más empleados, para que usted mismo pueda experimentarlos en su propia piel .
Podemos reconocer que un sujeto está en trance porque aparecen toda una serie de manifestaciones llamadas *fenómenos hipnóticos*, tales como: cambio del ritmo respiratorio, movimientos oculares, catatonia de las extremidades, anestesia, cambios en la percepción auditiva, visual o táctil, distorsión del tiempo, etc. El paciente suele referir que, sin perder la conciencia de quién es y dónde está, puede vivir parale-

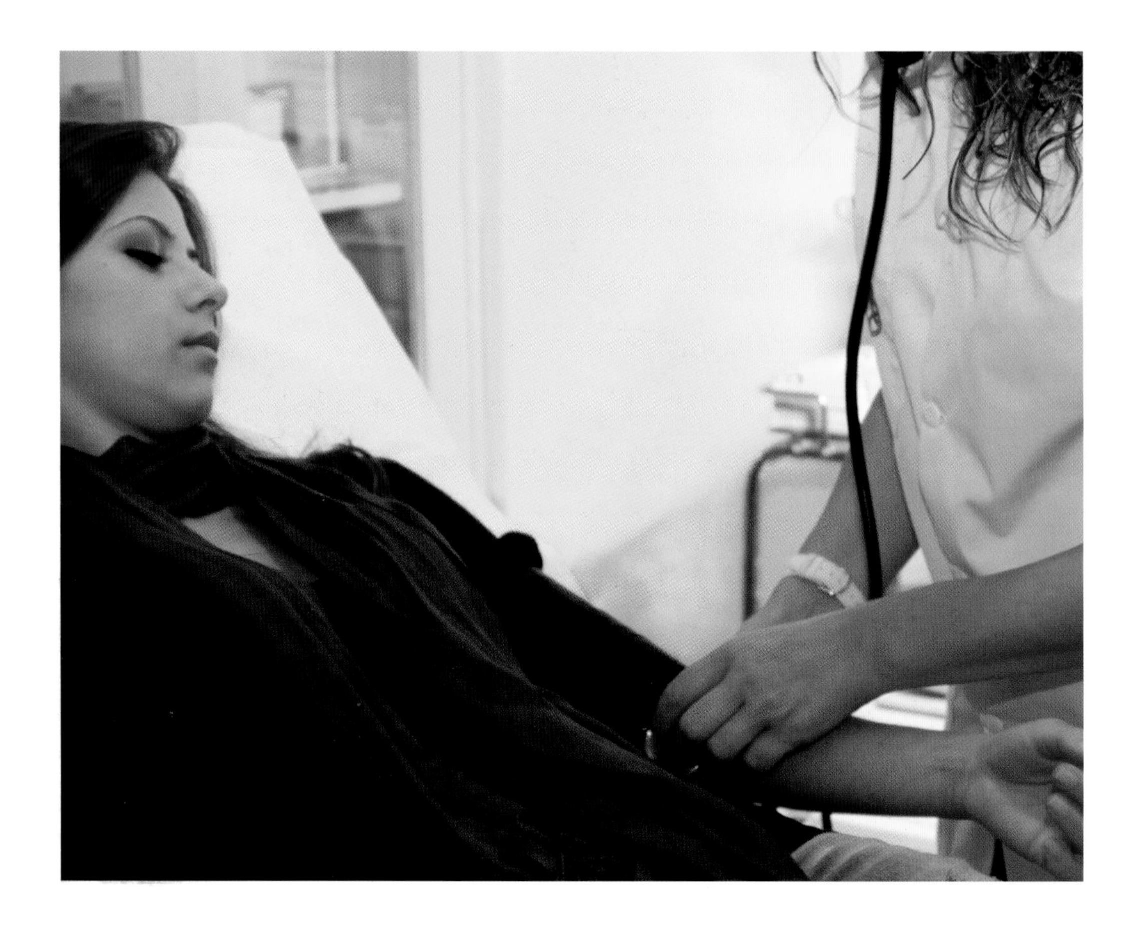

lamente otro estado de conciencia donde le ocurren los fenómenos descritos. Como si una parte de la persona –la mente consciente– estuviera presente en la sala junto al terapeuta, siendo testigo de lo que le ocurre a otra parte de la persona –la mente inconsciente– que es la que se activa para encontrar nuevos recursos y respuestas.

Una vez inducido el trance, se realiza su profundización, permitiendo que el individuo abandone completamente su estado de alerta hacia el exterior, entregándose al proceso interno en el que está sumergido. Para ello se usan técnicas de relajación, de visualización creativa, o técnicas regresivas entre otras, siempre con el fin de abonar el terreno donde sembrar la semilla de una reformulación que permita el cambio terapéutico.

Esta reformulación, que es la intervención verdaderamente terapéutica, puede implicar un reencuadre cognitivo (nuevas formas de entender el conflicto), o formas diferentes de sentir mediante técnicas de disociación o de reasociación, o simplemente lograr una mayor perspectiva a través del uso de metáforas, cuentos, símbolos, etc. Es en este estado más profundo donde suelen producirse los *insights*, que es como un «darse cuenta», o las «abreacciones», auténticas catarsis emocionales que liberan la tensión contenida y reubican los sentimientos tras atravesar la rabia, el dolor, la tristeza, la ira, el desprecio, etc.

Finalmente el terapeuta reorienta hacia la salida del trance, acompañando al paciente a recuperar su tonicidad y progresiva normalización de la consciencia.

Es importante recalcar que NO es posible permanecer indefinidamente en estado de trance, al igual que siempre acabamos despertando del sueño fisiológico.

Finalizada la sesión hipnótica (inducción, profundización, reformulación y salida), que puede durar entre 15 y 60 minutos, el médico o psicólogo recoge los aspectos más destacados por el paciente, los más reveladores y también las dificultades encontradas para poderlas replantear.

Pero el proceso terapéutico continúa más allá de las cuatro paredes del consultorio, y por eso cobran especial importancia las llamadas órdenes post-hipnóticas y las propuestas de tareas para casa. Una orden post-hipnótica es aquella que ha sido sembrada en la fase más profunda del trance, y que el paciente tiende a cumplir de forma literal al finalizar la sesión, siempre que no se viole el código ético de la persona (en cuyo caso el individuo saldría inmediatamente del trance). Estas órdenes son ideas implantadas en el inconsciente, que tienden a realizarse desde el automatismo, sin intervención, por tanto, de la voluntad, lo que confiere la apariencia de «éxito sin esfuerzo» reportado por algunos pacientes. Ejemplos de órdenes post-hipnóticas pueden ser: «A partir de hoy mismo, cada vez que usted se siente en este sillón entrará en trance rápida y fácilmen-

te, logrando progresivamente mayores niveles de bienestar. Porque a cada sesión de hipnosis, usted encontrará más fácilmente nuevas y útiles respuestas que le ayudarán en la resolución de su problema. Desde hoy mismo, podrá comprobar que cada día le es más sencillo entrar en trance, y se sorprenderá al descubrir cuán gratificante es encontrar soluciones creativas y eficaces para usted».

Las tareas para casa son acciones que el terapeuta propone con el propósito de potenciar la participación y actitud proactiva del cliente, para facilitar el logro de los objetivos.

Por ejemplo, algo que suelo prescribir a las personas que acuden a mi consulta para dejar de fumar es que, tras la primera entrevista y hasta la siguiente ocasión en que nos veamos, cada vez que sientan el impulso de fumar han de tomar tres sorbos de agua antes de prender el cigarrillo. Esta tarea la deben llevar a rajatabla durante todo el proceso de deshabituación, tomar exactamente tres sorbos de agua, ni uno más ni uno menos, antes de encender cada cigarrillo, estén donde estén. Solo después de beber el agua podrán decidir libremente si fuman o si prefieren estar un rato más libres de humo, sintiendo cómo el agua ayuda a limpiar el cuerpo, clarificar las ideas, y controlar el impulso.

¿Dónde está el árbol?, 2001, Tat.

«La hipnosis no es un procedimiento aplicado por un operador externo, sino que es la respuesta interna que un sujeto da. Esta respuesta depende del grado de estimulación de la imaginación del individuo».

Yeates (2002)

TÉCNICAS DE INDUCCIÓN HIPNÓTICA

Las leyes de la sugestión 42
El lenguaje hipnótico 46
Algunas técnicas hipnóticas
de uso frecuente 56

Las terapias con hipnosis generalmente involucran alguno de los siguientes métodos:

- Sugestiones para estimular los cambios deseados (cambios en la percepción, en los sentimientos, en el pensamiento o en la conducta).
- Sugerencias y técnicas de imaginería guiada para explorar los posibles problemas o conflictos que subyacen en la queja.
- El uso de la autohipnosis para ensayar la relajación y el autocontrol.

Para seleccionar la técnica que mejor se ciñe al paciente, debemos recordar que hay personas que son muy «visuales», es decir, que de sus cinco sentidos el que predomina es la vista. Otras son más «auditivas», y otras especialmente «kinestésicas», o sea que aprecian más el tacto y las sensaciones corporales. Por tanto las sugestiones hipnóticas se deben adaptar al lenguaje de cada persona, usando su propio canal dominante.

Para ello, a los individuos más visuales les sugiero que *visualicen* una escena y que *observen* detenidamente los elementos que la componen, sus colores, sus formas, la luz ambiental, los volúmenes... Que *se fijen* en determinados aspectos y *vean* si... En cambio a las personas auditivas les pido que recuerden una *música* que les fue significativa, o que *escuchen* su *voz interior*, o los *sonidos* que acompañan una experiencia. Y con los kinestésicos uso palabras como *peso*, *suavidad o rugosidad*, *frío y calor*, etc. o hago alusión a sus sensaciones corporales. Si no se respeta el canal sensorial del paciente, pueden ocurrir pequeños fracasos como que la persona declare no haber experimentado el trance porque fue incapaz de ver la escena imaginaria que el hipnólogo le proponía, o no haber logrado sentir la sensación sugerida.

En este capítulo describo algunas de las técnicas que mejor funcionan con la mayoría de pacientes, aplicando una u otra según el canal representativo dominante del individuo, su carácter y afinidades, el motivo de consulta, etc. Pero antes, unas breves pinceladas sobre las leyes de la sugestión y el lenguaje sugestivo.

Las leyes de la sugestión

Émile Coué, médico y farmacéutico francés nacido a mediados del siglo XIX, se percató de que, en épocas en las que no disponía de drogas en su botica, podía igualmente curar a algunos pacientes dándoles medicamentos sin propiedades farmacológicas, lo que hoy en día se denomina placebo, gracias al poder de la sugestión.
Estudió hipnosis junto a Liébault en la Escuela de Nancy, y acabó formulando un método sanador que designó «Autosugestión Consciente», publicado en *El dominio de sí mismo*, 1920. En él afirma que «toda sugestión es en realidad una autosugestión», y que esta se puede inducir voluntaria y conscientemente para beneficio de la persona. Se logra repitiendo de forma continua ciertas palabras o vivencias interiores hasta quedar grabadas en el subconsciente, de forma que estas frases acaban siendo «órdenes» que pueden ser reproducidas automáticamente cuando sean requeridas. Por ello se considera a Coué el padre del «condicionamiento aplicado».

La técnica de Coué más conocida es la repetición de la frase: «Every day, in every way, I am getting better and better» (Día a día, en todos los aspectos, voy encontrándome mejor y mejor)

Las tres primeras leyes de la sugestión fueron descritas por Coué a principios del siglo XX, y las tres últimas por Weitzenhoffer cincuenta años más tarde.

Primera ley

Ley de la atención sostenida
Si una persona concentra su atención en una idea o pensamiento, dicha idea tiende a realizarse espontáneamente, a transformarse en acto.

Segunda ley

Ley del efecto inverso
Si una persona cree profundamente que no puede hacer algo y lo intenta, cuanto más trata de

lograrlo, menos posible será llevarlo a cabo a pesar de tener muchas ganas de conseguirlo. Un ejemplo frecuente es lo que ocurre ante la dificultad de conciliar el sueño: cuanto más trata uno de dormir, más nervioso se pone y menos lo consigue. Otro ejemplo que mencionaba Coué es que podemos caminar sin problemas sobre un tablón de 20 cm de ancho y 10 metros de largo situado sobre el suelo, pero somos incapaces de hacerlo si el mismo tablón está a 200 metros de altura, ya que pensamos que vamos a caer y ello hace que cuanto más lo pensemos, menos capaces de recorrerlo nos sintamos.

A veces se encuentran dificultades de este tipo en la inducción del trance hipnótico: cuanto más trata el sujeto de cooperar por miedo a no poder ser hipnotizado, más se resiste a las sugestiones. Por ello, cuanto más pasivo permanezca en cuanto a no forzar nada durante la primera experiencia, más fácil será su inducción.

Decía Coué: «La voluntad que tan orgullosamente reivindicamos cede siempre el paso a la imaginación; es una regla absoluta». Cuando la voluntad y la imaginación son antagónicas, invariablemente gana la imaginación. Por tanto, en un conflicto entre la voluntad y la imaginación, esta última tenderá a anular el esfuerzo de la voluntad. Pero si la voluntad y la imaginación están de acuerdo, no solo se suman sus efectos, sino que se multiplican. La fuerza de voluntad es una función de la mente consciente, mientras que la imaginación proviene de la información archivada en la mente inconsciente. Así que, por suerte, la imaginación puede ser guiada.

Tercera ley

Ley del afecto dominante

Una emoción fuerte siempre tiende a reemplazar a una emoción débil. Una sugestión asociada a una emoción hará que dicha sugestión sea más efectiva. Una sugestión vinculada con una emoción fuerte predominará sobre cualquier otra que se encuentre en la mente en ese momento.

Cuarta ley

Ley de prioridad en el tiempo

Cuando se hacen dos sugestiones antagónicas, la formulada en primer lugar tiene prioridad sobre la otra. Así, si alguien nos dice que tenemos buen aspecto después de que otra persona nos dijera previamente que hacemos mala cara, seguramente desconfiaremos del piropo.

Quinta ley

Ley de prioridad de profundidad

Entre dos sugestiones antagónicas, la que esté asociada a un trance más profundo es la que tiende a cumplirse con mayor facilidad.

Sexta ley

Ley de prioridad de penetración

Entre dos sugestiones contrarias, la que está más penetrada tiene prioridad sobre la otra (con la expresión «penetrada», Weitzenhoffer entiende el grado, la estabilidad, y la permanencia de asociación preexistente de esa sugestión).

El lenguaje hipnótico

El término *sofista* proviene del griego *sophía* que significa «sabiduría», así que la traducción literal de *sophistés* vendría a ser «sabio» en el sentido de «filósofo» (aunque también se otorgaba a músicos y poetas). Pero el verbo sophídsesthai, «practicar la sophía», sufrió una evolución peyorativa a partir del siglo v a. C,. y terminó por entenderse como «embaucar» por requerirse el dominio de las palabras para ser capaz de persuadir a otros. Platón criticó a los sofistas por su formalismo y sus trampas dialécticas, pretendiendo enseñar la virtud desde un saber puramente retórico. Afirmaba que se trataba de adquirir el dominio de los razonamientos engañosos, y que el arte de la persuasión no estaba puesto al servicio de la verdad sino al de los intereses de quien hablaba. Y así, mientras ese arte se designaba conducción de almas, Platón le llamó captura de almas. Aristóteles, a su vez, decía que «un "sofista" es quien utiliza el "sofisma" [1] para razonar». Por tanto, según estos maestros, los sofistas no eran propiamente filósofos sino charlatanes, pero tenían una actitud que sí puede llamarse filosófica: el escepticismo y el relativismo. No creían que el ser humano fuese capaz de conocer una verdad válida para todos, sino que cada quien tiene «su» verdad.

Algo parecido me he encontrado en la práctica de la hipnosis. Sin duda es imprescindible el dominio del llamado lenguaje hipnótico, es decir, el poder sugestionar con el uso de la palabra. Sin embargo, debe evitarse caer en la trampa del uso y abuso de la retórica y de los sofismas. Ni pretender reducir la hipnosis a una mera técnica, más o menos protocolizada, cuyo objetivo fuera embaucar o seducir con malas artes.

Jay Haley, en su libro *Terapia no convencional* (1973) escribe: «La mayoría de la gente, incluyendo a muchos profesionales con formación clínica, piensan que la hipnosis es un procedimiento en el que el hipnólogo dice "relájese" y el sujeto se empieza a dormir, y entonces se le formulan sugestiones. O se le pide a una persona que mire a una luz o a un objeto y se le dice que sus párpados se cerrarán y comenzará a dormirse.

»Un ingenuo piensa que a menos que se siga ese ritual, no hay hipnosis. Y si se piensa que la hipnosis es un ritual estereotipado que incluye el dormir, resulta difícil ver qué relación puede tener con una terapia.» Pero es que, como ya se mencionó en el capítulo 3, la hipnosis es una herramienta comunicacional que en el campo clínico se aplica para inducir cambios en la conducta, emoción o pensamiento del sujeto, con el objetivo de lograr un mayor bienestar de la persona. Por ello los procedimientos hipnóticos deben ser únicos para cada paciente, personales e intransferibles, surgidos a partir de la relación terapéutica que alienta la concepción de que la gente es modificable, y el espacio y el tiempo maleables.

El hipnólogo influye sobre el paciente mediante las palabras, pero también mediante las entonaciones y los gestos corporales honestos y facilitadores.

---

[1] Un sofisma o falacia es un patrón de razonamiento incorrecto que aparenta ser válido. Es decir, independientemente de si el resultado es verdadero o no, el error está en el mecanismo de razonamiento.

Una conducta impostada, o una retórica demasiado distante del «sentir humano», convertirán la hipnosis en un circo totalmente alejado del cambio pretendido. Por eso en las técnicas de comunicación sugestiva se atienden tanto los aspectos verbales como los no verbales.

Estos últimos tienen mayor peso en toda comunicación, pues llegan directamente a la amígdala cerebral del receptor antes de que su neocórtex haya acabado de procesar el significado de la palabra emitida.

Por ejemplo, la respuesta producida con la palabra «venga» es muy diferente si esta se ha pronunciado dulcemente con una sonrisa pícara y un seductor aleteo de pestañas, o si se ha emitido en tono autoritario y con voz urgente, asociado a un rostro enojado y al gesto imperativo de señalar con el dedo el suelo frente a uno.

Comunicación sugestiva no verbal

La mímica facial

El ser humano aprende muy precozmente a leer en las expresiones faciales de sus mayores, de tal forma que un bebé de pocos meses puede romper a llorar por el hecho de ver en el rostro de su madre un gesto de miedo, de enfado o de reprobación.

En la hipnosis clínica el terapeuta influye sobremanera en el paciente con su mímica, de modo que una sonrisa serena atenúa la ansiedad y facilita la expresión, el cabeceo de confirmación genera confianza y empatía, etc. Todo ello, claro está, siempre que surja de forma natural, de manera que la sonrisa esté armonizada con el resto de la expresión verbal y no verbal (que sea coherente).

Y por el contrario, una mueca de desagrado, un bostezo reprimido, o la apertura de los ojos en señal de sorpresa no grata pueden provocar malestar o irritación más allá del discurso verbal que se pronuncie.

Sin embargo, a veces una contradicción entre la mímica y la palabra emitida puede tener un gran impacto comunicacional. G. Nardone en *Hipnosis y terapias hipnóticas* (2006) menciona como ejemplo: «decir algo cortante con una sonrisa serena, un gesto relajado o una mirada dulce. Este contraste hará aceptable un mensaje que, si se hubiera comunicado de forma coherente, a nivel verbal y no verbal, probablemente hubiera sido inaceptable» Y así, el significado de *te odio*, puntuado con una cálida sonrisa, puede invertir su sentido. Una equilibrada oscilación entre la coherencia y la paradoja o la ambivalencia (la contradicción entre el significado de las palabras y el mensaje no verbal de la mímica) es lo que permite darle una magia aparente a la comunicación sugestiva.

Dentro de la expresión facial, la mirada cobra una relevancia especial. Se dice que la mirada es el espejo del alma, y en terapia a menudo es el espejo donde el paciente se ve reflejado. Por eso una mirada puede dar seguridad o quebrarla, puede generar confianza o miedo, puede producir satisfacción o rechazo.

Es sabido el impacto que tiene una mirada penetrante fija en el interlocutor, y en la película *Svengali* protagonizada por John Barrymore en 1931, se hizo gran acopio de ello. No obstante, pretender una mirada directa con otra persona en un primer contacto puede llegar a ser muy incómoda e irritante; y, o bien el interlocutor tenderá a esquivar la mirada por sentirse invadido o cuestionado, o bien sostendrá el contacto ocular respondiendo con desafío a esta provocación no verbal.

Por todo ello, en el lenguaje hipnótico se sugiere mantener una mirada afable, directa pero no inquisitiva, acorde con el mensaje que se transmite. Y solo en caso de querer subrayar ciertas palabras o conceptos, entonces sí se fija la mira-

da en el paciente para dar a entender la importancia de lo que se está diciendo, reforzando el impacto comunicacional. Es más, en un estudio realizado en el Centro de Terapia Estratégica de Arezzo (Italia), se comprobó que las tareas prescritas con mirada directa y penetrante tienden a cumplirse más por parte de los pacientes que las propuestas con mirada neutra.

Esto nos indica que la mirada tiene un papel importante en la eficacia de una intervención terapéutica.

La proxémica

Todo ser vivo necesita un «espacio vital», una especie de burbuja personal que contiene el territorio donde uno puede desenvolverse cómodamente. Si otro individuo traspasa los límites de esa «burbuja», se puede crear un sentimiento de intimidación, como si el intruso violara un espacio íntimo.

El término «proxemia», propuesto por el antropólogo Eduard T. Hall en 1963, se refiere al uso y a la percepción del espacio físico durante la comunicación. La proxémica estudia cómo la gente emplea su espacio personal en el establecimiento de grupos formales o informales. Mide la distancia que guarda un individuo con los demás, y cómo esta varía en función de la edad, sexo, cultura, liderazgo, distancia conversacional, situaciones de gran densidad humana, etc.

E. Hall propuso cuatro formas de proxémica siguiendo el estilo estadounidense (pues en los países latinos suelen observarse menores distancias personales):

› **Público.** Es el que se suele utilizar en conferencias y actos donde están presentes personas desconocidas. Generalmente es una distancia superior a los 3 metros.

› **Social.** Es el que usamos para interactuar con las personas en nuestra vida cotidiana: en el área de trabajo, escuela, comercios, vecindario, etc. Puede ser de alrededor de un metro.

- **Personal:** El que se usa en relaciones cercanas, como entre familiares y amigos. Suele ser de unos 50-60 cm. Si alargamos nuestra mano, la podemos posar sobre su hombro.

- **Íntimo:** Es el más cercano y limitado a personas con las que se tiene un vínculo muy estrecho, como la pareja o los hijos. Puede ir desde el medio metro hasta el espacio nulo.

Dentro de la proxémica hay otros aspectos, tales como los gestos, las miradas y el contacto físico. A medida que disminuye la distancia, suelen aumentar el contacto y la intensidad de las miradas, y los gestos se vuelven más expresivos, ya que la distancia corta acostumbra a expresar una mayor confianza e intimidad entre los individuos.

La proxémica, por tanto, es uno de los aspectos más importantes de la comunicación, y la forma en que una persona la aplique puede producir una reacción inmediata o bien de acercamiento y aumento de la confianza, o totalmente lo opuesto.

Milton Erickson no concebía el trance ligado a particulares técnicas hipnóticas o a sugerencias formales para su inducción, sino como un estado que se instaura de modo muy similar a que se obtiene de forma natural durante el *common everyday trance* (el «trance cotidiano común» ya mencionado en el capítulo 3). Por ello el hipnólogo, más que usar rituales rígidos y protocolizados, lo que usa es el lenguaje hipnótico que incluye no solo una retahíla de palabras, sino toda la riqueza de la comunicación no verbal.

En la aplicación de la hipnosis en la privacidad de un consultorio médico o psicológico, el lenguaje corporal, los gestos de las manos y cabeza, la proxémica, la mirada, y la mímica facial cobran una notable importancia, tanto o mayor que la comunicación verbal. Y así, una persona puede sentirse cómoda o intimidada ante el hipnólogo mucho antes de que este pronuncie palabra alguna. El conjunto de todos estos factores debe ser respetuoso, suave y relajado, acorde con el contenido y tono de las palabras. Y así como antes se mencionaba que una mirada demasiado penetrante y fija en las pupilas del paciente puede crear sensación de invasión si es empleada en las fases iniciales de la sesión, pero en cambio refuerza la importancia de una prescripción particular, también la proximidad y el contacto físico tienen idénticas connotaciones y deben reservarse para remarcar mensajes concretos de especial trascendencia.

Elementos de la comunicación sugestiva no verbal

- La mímica facial y la mirada
- La proxémica y el lenguaje corporal
- La prosodia y el tono de voz

Cuando una persona está preocupada, tensa o asustada, lo manifiesta corporalmente mediante su posición y sus gestos. Suele inclinar su espalda ligeramente hacia adelante, separándose del respaldo de la silla por ejemplo, así como cruzar sus brazos, manos, piernas o pies en una postura defensiva. Si un individuo se siente inquieto puede mover nerviosamente un pie, o realizar algún gesto de forma repetida o acelerada (repiquetear los dedos en la mesa, mordisquear una uña, enrollar un mechón de cabello, etc.). Todo ello se transmite sutilmente al interlocutor, de manera que no es preciso hablar para entender que se están produciendo una serie de emociones ligadas al miedo o a la ansiedad. Si a esto le sumamos la mímica facial ya comentada, y observamos la burbuja del espacio vital que crea, podemos deducir bastante acertadamente el estado interno de la persona. Pues bien, toda esta información no verbal es la que el hipnólogo recoge durante la sesión, bien atento a lo que dice y a lo que no dice su paciente. Porque el lenguaje corporal, mucho más primario que el verbal, no deja lugar a dudas. Es por eso también, que el hipnólogo debe ser capaz de liberar sus propias tensiones y mantenerse en ese estado relajado que pretende transmitir al paciente, ya que este también capta los mensajes corporales del terapeuta. Y así, durante la práctica hipnótica, el hipnólogo también entra en trance para poder acompañar mejor al sujeto, acompasando incluso su respiración, su posición corporal, etc. para lograr el estado fluido y relajado que se pretende inducir. Ya que es difícil ser sugestivo si no se tiene la capacidad de autosugestionarse.

Por todo ello, la especial comunicación que se establece entre hipnólogo y paciente durante un trance formal o informal, recibe un nombre específico: el *rapport*. Erickson lo definía de este modo: «El estado en el cual la persona responde solo al hipnotizador y parece incapaz de ver, oír, percibir o responder a nada, a menos de que reciba esa orden suya. En la práctica, la concentración y la consciencia de la persona están únicamente dirigidas al hipnotizador, con el objetivo de disociar a la persona de cualquier otro estímulo que le rodea» (1984).

La prosodia y tono de voz

La prosodia es el estudio de todos los elementos de la expresión oral, tales como el tono de voz, la melodía, el énfasis de ciertas palabras, las pausas, etc.

Por todos es sabido que una misma palabra puede ejercer un efecto u otro según el tono de voz con el que es pronunciada. No produce el mismo mensaje decir «por favor» en tono suplicante, que decirlo con asco y desprecio. Pues mientras en el primer caso expresa un pedido de algo que se desea, en el segundo caso lo que se está pidiendo es «por favor, evítemelo». Es decir, el sentido contrario.

También es conocido que cuando se desea comunicar algo importante, y se pretende que quede grabado en el interlocutor, es útil anteponer una pequeña pausa de silencio que crea una cierta expectativa, y luego dar el mensaje usando una intensidad de voz capaz de captar la atención de la otra persona. En cambio cuando lo que se pretende es todo lo contrario, es decir, evitar que el otro se detenga demasiado tiempo en un tema concreto, lo que se hace es emplear un tono de voz huidizo y evitar las pausas prosódicas, dando levedad al asunto, como quitándole importancia.

En la práctica de la hipnosis, la mayoría de terapeutas suelen usar una voz más bien monótona, con escasas inflexiones, lo que sugiere sueño o adormecimiento, que facilita la relajación. El volumen es bajo, se modula la cadencia de la voz, y las pausas llegan a ser realmente largas para producir una distorsión del tiempo que genera paz y sosiego.

También se RE-MAR-CAN algunas palabras poniendo énfasis en su pronunciación, ya sea porque se eleva discretamente la voz, o porque se acentúa su vocalización. Además, algunas palabras se pronuncian de forma coherente a su significado. Por ejemplo, *pesaaaadoooo* tiene diferente prosodia que su antónimo: *leve*.

En cuanto al ritmo, una técnica hipnótica muy común es acompasar el discurso a la respiración del paciente, de tal forma que se invita a «SOLTAR tensiones» cuando la persona exhala, y a «EXPANDIR la conciencia» cuando expande su pecho durante la inspiración profunda.

Está claro que el tono de la voz, su cadencia, la mirada, y las expresiones faciales y corporales deben estar en consonancia con el contenido verbal para lograr ser un instrumento eficaz para la creación de un estado de sugestión y de influencia.

Comunicación sugestiva verbal

A partir de Milton Erickson, se ha comprobado el gran valor que tiene la capacidad de sintonizarse con el lenguaje, las actitudes y las opiniones del paciente, con el fin de crear el contexto sugestivo sin que aparezcan resistencias. Esto no significa estar en todo de acuerdo, y conceder siempre la razón sin confrontar opiniones que pudieran ser falacias, sino simplemente posicionarse en un estado de no juicio, en el que se presupone que el paciente es un experto en sí mismo. Y cuyo inconsciente contiene todas las soluciones creativas para vencer las dificultades.

Así pues, crear sintonía quiere decir acercarse al otro, lo cual puede lograrse también asumiendo posicionamientos distintos y complementarios, o utilizando modalidades lingüísticas diferentes. Por ejemplo, si mi paciente es un adolescente que, cuando es interpelado, apenas usa monosílabos, intercalando palabras malsonantes o jergales a su escaso discurso, eso no puede ni debe ser copiado por mi parte. En este caso, la sintonía se logra evitando usar largos monólogos de contenido sofisticado, pero sin caer tampoco en la simpleza del paciente, porque si no, no estaría aportándole nada.

G. Nardone afirma que «no hay que querer parecerse a nuestro interlocutor para serle agradablemente sugestivo. Hay que utilizar un lenguaje que concuerde con el suyo, y asumir actitudes que armonicen con las suyas. Si, por ejemplo, estoy hablando con una persona que usa un lenguaje muy articulado y argumentaciones complejas, tendré que utilizar enunciaciones breves y fulgurantes. En efecto, si me pusiera a hacer lo mismo que él, el resultado sería un duelo de verborrea intelectual y se establecería una simetría relacional, mientras que los comentarios rápidos y tajantes penetran sugestivamente en este tipo de interlocutor» (*Hipnosis y terapias hipnóticas*, 2006).

Lo que se pretende con las palabras y todos los demás componentes de la comunicación hipnótica, es el cambio terapéutico.

Así pues, la diferencia entre la mera retórica y el lenguaje hipnótico, subyace en la intención estratégica hacia el cambio que tiene el segundo.

El metamodelo inverso de Milton

En el año 1975, Richard Bandler y John Grinder describieron por primera vez la forma de usar el lenguaje sugestivo que tenía Milton Erickson, en su libro *Patterns of the Hypnotic Techniques of Milton H. Erickson, M.D.* Este modelo de Milton se ha llamado también la inversa del metamodelo pues, así como el metamodelo (descrito por los mismos autores en *La Estructura de la Magia*, 1975) está conformado por los patrones de lenguaje que especifican y detallan una experiencia, el modelo de Milton o el metamodelo inverso es ingeniosamente indeterminado. Ello obliga al

paciente a suplir las omisiones a partir de su propia experiencia interna.
Por ejemplo, es muy diferente decir «cierre sus ojos y visualice un amplio prado de hierba verde con flores, bajo un cielo azul sin una sola nube», que sugerir «cuando cierre sus ojos, tal vez pueda imaginar un paisaje campestre bajo un lindo cielo, en aquella hora del día tan apacible para usted». En el segundo enunciado, cada persona es libre de rellenar el decorado con su propia creatividad, eligiendo el tipo de cielo (tal vez esté lleno de nubes blancas, o quizás es a la puesta de sol), y eligiendo el tipo de prado (no necesariamente debe ser de color verde ni tener flores, sino que puede estar nevado, o presentar tonos más otoñales, por ejemplo).

Elementos de la comunicación sugestiva verbal

- El metamodelo inverso de Milton:
  omisiones
  nominalizaciones
  conectores
  presuposiciones
  órdenes indirectas
- Las redundancias
- Las preguntas estratégicas
- El lenguaje evocador

Otra forma de lograr un lenguaje hipnótico indeterminado consiste en usar «nominalizaciones». Las nominalizaciones son palabras intangibles, de aspectos que no se pueden tocar ni medir, logradas a base de convertir un verbo en un sustantivo abstracto. Por ejemplo: aprendizaje, esperanza, recurso, ayuda, preocupación, etc.
En un trance puede decirse: «Permita que sus preocupaciones se vayan diluyendo a medida que va ganando confianza en usted». En dicha sentencia no se especifica qué preocupaciones son esas, ni en qué grado le afectan, ni cómo pueden diluirse. Tampoco se especifica el modo de ganar confianza, ni en qué consiste esa confianza. Pero el paciente tiende a *rellenar* todo lo omitido con su propia experiencia interna.
Otro recurso muy empleado es el uso de *conectores*: son palabras que enlazan dos afirmaciones de tal forma que se sugiere que entre ellas hay relación de causa-efecto. Se suele empezar con una frase verificable, a la que se le une otra deseable, dándole al conjunto el aspecto de causalidad. Hay tres niveles:

- **Conector débil.** Se emplean conjunciones, como la partícula y, para conectar fenómenos que no tienen relación entre sí. «Siente sus pies en el suelo y se pregunta si su mente está lista para encontrar respuestas.» «Está escuchando mi voz y todo su cuerpo se relaja.»

- **Conector medio.** Vincula frases estableciendo una conexión temporal. Usa expresiones como: *mientras*, *a medida que*, *durante*, *cuando*, etc. «Mientras respira profundamente, siente que va relajándose más.» «A medida que su mano se eleva, sus recursos y habilidades van aflorando.»

- **Conector fuerte.** Emplea palabras que afirman una relación de causalidad, aunque esta no exista. Son términos como: *hace que*, *permite que*, *causa*, *aumenta*, etc. «Sus manos se unen, y eso hace que profundice más en su trance.» «El recuerdo de ese aprendizaje produce un gran bienestar en su interior.»

También forman parte del lenguaje sugestivo las *presuposiciones*, aquellas afirmaciones que hacen que el paciente no se cuestione su existencia. Hay varias formas:

- **La falsa opción.** Usando la partícula *o*. «¿Prefiere relajarse en el sillón o en la camilla?», presupone que va a relajarse.

- **Adverbios de tiempo.** *Durante*, *cuando*, *previamente*, *antes*, *después*, etc. «Antes de que entre en hipnosis quisiera hacerle una pregunta». Presupone que va a entrar en hipnosis.

- **Numerales ordinales.** *Primero*, *segundo*, *tercero*... «Me pregunto qué dedo va a moverse primero», presupone que algún dedo se va a mover.

Un patrón muy usado por M. Erickson consiste en dar órdenes indirectas. Esto logra ciertas respuestas sin pedirlas abiertamente. Veamos algunos ejemplos:

- **Órdenes incorporadas.** Se incorporan instrucciones a una oración más larga. «Permita que su cuerpo se relaje» en lugar de ordenar directamente «Relájese». O bien: «me pregunto qué es lo que desea lograr aprender en este trance», en lugar de ordenar claramente que aprenda algo.
- **Subrayado análogo.** Se trata de dar énfasis a una orden mediante elementos de comunicación no verbal, tales como un gesto, la elevación del tono de voz, la mirada más penetrante, etc. El subrayado se percibe sin ser reconocido conscientemente. Por ejemplo «sus párpados peeesaaan», pronunciándolo con voz más pesada (grave y lenta), bajando lentamente la cabeza mientras se pronuncia, y exhalando el aire como cuando decimos «Buf!».

- **Ambigüedad fonológica.** Se usan palabras que suenan parecido, subrayándolas analógicamente. Bandler y Grinder proponen como ejemplo: «y sabes a ojos cerrados que con el abrazo de un amigo se levanta tu ánimo», que puede ser interpretado como «a ojos cerrados, el brazo se levanta» (*Trance-formations. Neuro-Linguistic Programming and the Structure of Hypnosis*, 1993).

Las redundancias

En el lenguaje sugestivo es imprescindible la repetición.

No obstante, la redundancia no significa repetir siempre la misma frase, sino crear una armonía musical que será retomada con variaciones sobre el tema.

¡Cuando éramos niños, aprendimos las tablas de multiplicar a base de repetir docenas de veces cada una de ellas! Pero el hecho de asociar un canturreo monótono y redundante facilitaba enormemente su aprendizaje. ¿Por qué?

En hipnoterapia el uso de la redundancia puede ser más sutil. Por ejemplo, retomando alguna frase que haya sido consensuada anteriormente, como broche de cierre en la siguiente propuesta. Así, si una persona habla de su cansancio por tener que asumir un gran porcentaje de las responsabilidades laborales y domésticas, y hemos convenido que es como «la locomotora que tira del tren», más adelante, cuando sigamos profundizando sobre otros aspectos relacionados, podemos retomar la metáfora y volver a mencionar el esfuerzo de la locomotora cuesta arriba, o lo cargado que está el tren.

Otra manera de redundar puede ser parafrasear al paciente, es decir, repetir de forma breve lo que ha dicho. En este caso, claro está, el hipnólogo no se limita a hacer de eco, sino que elegirá las afirmaciones que sean más interesantes para motivar el cambio, o para subrayar aspectos que deben tenerse especialmente en consideración.

E incluso puede repetir varias de sus afirmaciones, como construyendo una cadena de sucesos que ayudan a explicar una historia de forma lógica, tal como hacía el personaje televisivo Colombo.

Las preguntas estratégicas

El método definido como «diálogo estratégico» por Nardone y Salvini (2004) incluye la formulación de preguntas que induzcan en el paciente, a través de sus propias respuestas, el descubrimiento de nuevos puntos de vista en relación a sus percepciones y creencias acerca de su problema.

A la manera socrática, mediante preguntas estratégicas –es decir, con respuesta calculada– se conduce al sujeto hacia un lugar diferente al previo, creado mediante sus propias deducciones y no solo con las instrucciones del terapeuta.

Esto reduce de modo drástico las resistencias del paciente puesto que, en lugar de verse forzado, se siente protagonista de su cambio.

«Las preguntas del hombre sabio contienen al menos la mitad de sus respuestas»
Protágoras (sofista griego, siglo v a.C.)

Esto se logra iniciando el diálogo con preguntas generales que, a medida que se van obteniendo respuestas, se van volviendo cada vez más específicas, llevando al interlocutor en una espiral que le acerca progresivamente al centro de la diana.

Además, por realizarse en un contexto sugestivo y terapéutico, y a diferencia de un interrogatorio policial, con cada dos o tres respuestas el terapeuta hace un pequeño resumen para corroborar que está entendiendo al paciente. Esto va generando pequeños acuerdos que facilitarán el acuerdo mayor, el que finalmente formulará la solución estratégica al problema o, al menos, la nueva visión específica sobre ello.

El lenguaje evocador

Uno de los recursos más frecuentemente empleados en hipnosis es el uso de imágenes evocadoras.

Experimentar las situaciones evocadas como si fueran reales lleva al paciente a un modo de pensar, sentir, y comportarse diferente, que puede facilitar la llamada «experiencia emocional correctiva», es decir, con efecto terapéutico. Para ello es necesario que la metáfora o escena evocada se emplee estratégicamente en el momento adecuado, de forma que evoque la aversión hacia aquello que hay que cambiar, y el énfasis del placer hacia aquello que ha de ser aumentado.

Por ejemplo, si una persona se siente ansiosa y cree que no va a lograr relajarse, empecinarse en ordenar (o autoaplicarse la orden) «relájese» es incluso contraproducente. En cambio es mucho más efectivo invitarla a recordar el efecto que produce contemplar una gotita de lluvia delicadamente posada sobre la hoja de una planta. Dedicarse unos instantes a mantener esa mirada fascinada propia de un niño que no tiene ninguna prisa...

Y ver cómo la gota se estremece ligeramente cuando sopla una suave brisa, sin perder su forma curva, transparente y brillante... Y mientras observa este equilibrio tan sutil..., siente que pasaría hoooras contemplando tranquilamente este pequeño milagro de la naturaleza..., sin importarle nada más... Esto hace que se sienta cada vez más fascinado, entregado por completo a la agradable experiencia de volver a ser como un niño...

Algunas técnicas hipnóticas de uso frecuente

Relajación progresiva de Jacobson

Elija una silla que le resulte cómoda, y pida que nadie lo interrumpa durante unos minutos. Siéntese con la espalda bien apoyada sobre el respaldo, los pies en el suelo con las piernas separadas un palmo entre sí, y las manos sobre sus muslos.

A continuación apriete el puño de su mano derecha durante 3 segundos, y afloje. Tome aire mientras vuelve a apretar el puño durante 3 segundos, y exhale cuando abra de nuevo su mano. Repita una tercera vez, prestando atención a las diferencias percibidas entre contracción y relajación de su mano.

Proceda de la misma forma con su muñeca derecha: mientras inspira, flexione su muñeca con fuerza durante unos 3 segundos, y luego espire aflojando y volviendo a su posición. Observe los cambios producidos, y note la diferencia entre tensar y relajar. Repítalo tres veces poniendo mucha atención en las sensaciones que le llegan con la relajación de la muñeca y mano.

Luego flexione su codo derecho mientras toma aire profundamente, y extiéndalo de nuevo durante la exhalación, comprobando que cada vez su

brazo logra una mayor y mejor relajación. Repítalo las 3 veces convenidas. Y a continuación haga todo el proceso con su mano, muñeca y codo izquierdos.
Seguidamente puede elevar ambos hombros durante 3 segundos, sintiendo que, cuando los suelta junto con el aire, sus hombros se relajan agradablemente, facilitándole una plácida sensación en ambos brazos.
Realícelo tres veces, y haga el mismo proceso con su pie derecho, su tobillo y su rodilla derecha, y después con pie, tobillo y rodilla izquierdos. Seguramente ya se siente en un agradable estado de tonificación y descanso. Pero puede continuar aún con sus nalgas: apretará durante unos 3 segundos, para aflojar seguidamente mientras expulsa el aire suavemente por su boca sintiendo las diferencias. Tres veces. Y después con su abdomen.
Finalizará relajando toda su cara de la misma forma: primero la frente, luego los párpados, los labios y finalmente la lengua.
Compruebe que tiene todo el cuerpo agradablemente relajado, flexible y suelto. Ya no hay tensiones ni contracturas. Puede repasarlo mentalmente, y repetir cualquiera de los pasos si fuera necesario. Disfrute de esta sensación de relax.

Levitación de la mano

Siéntese cómodamente en una silla, con sus manos sobre sus muslos. Haga tres respiraciones profundas, y con cada una de ellas acomódese un poco mejor. Afloje su cuerpo progresivamente, dispuesto a aprovechar los próximos minutos para relajarse. Tómese su tiempo, no tenga prisa... Este instante es solo para usted, y no debe dar cuentas a nadie.
Cuando sienta que se está abandonando agradablemente, y que su cuerpo se sumerge poco a poco en un estado de dulce sopor, imagine que le amarran a su muñeca derecha tres globitos hinchados con helio. Los globos tiran suavemente de su muñeca hacia arriba, como queriendo elevarse. Sienta esa sutil tensión hacia arriba que aumenta con cada respiración profunda. Quizás le apetezca añadir, uno a uno, nuevos globos de colores para aumentar el efecto de ascender.

Tal vez su mano desea empezar a despegarse de donde reposa, puesto que cada vez es más y más ligera, esponjosa como una nube. Sienta que su mano realmente se ha vuelto muy esponjosa y ligera, suave como una nube que flota, flota sin esfuerzo..., subiendo dulcemente hacia arriba tironeada por esos alegres globos que suben y suben con cada inspiración.
Sienta que su mano realmente desea flotar porque se ha transformado en nube, y compruebe que poco a poco se va separando de su pierna..., quizás primero curvándose solo los dedos..., quizás es la palma de la mano la que parece separarse..., mientras se siente cada vez más y más relajado, sorprendido de que sea tan fácil y agradable.
Su mano se eleva como si fuera un pedazo de madera que flota despreocupadamente en el agua.

Flota con un lento vaivén, sin esfuerzo. Y cuanto más alto es el nivel del agua, más sube su brazo de madera, o de corcho, flotando suavemente y permitiendo que todo su cuerpo profundice más y más en una agradable hipnosis. Cuanto más profundo es su trance, mayor es la sensación de bienestar percibida, y su estado de relajación se prolonga por más tiempo, aportándole una dulce sensación de calma interior que permanecerá durante todo el día...

Uso del péndulo de Chevreul

Trace sobre una hoja de papel un círculo a modo de brújula, donde marcará el norte (N), sur (S), este (E) y oeste (O). Disponga el folio sobre una mesa, y siéntese cómodamente ante ella. Tomando el péndulo suavemente por el extremo de su cadena, levántelo a unos 8-10 centímetros sobre el papel, con la punta señalando al centro del círculo.

En esta posición, elija tranquilamente si desea que el péndulo se mueva de Este a Oeste, o de Norte a Sur. Elija con claridad uno de los movimientos y no haga nada, pues le sorprenderá comprobar que a los pocos segundos el péndulo se mueve en la dirección elegida. El péndulo hace lo que su mente desea que haga, así de fácil.

Este fenómeno absolutamente natural y universal forma parte de los «mecanismos ideomotores» ya comentados en el capítulo 3, por los cuales una idea es transformada sutilmente en acto involuntario.

Los trabajos del científico inglés Michael Faraday, el químico francés Michel Chevreul, y los psicólogos americanos William James y Ray Hyman, han demostrado que muchos fenómenos atribuidos a fuerzas espirituales o paranormales son realmente debidos a la respuesta ideomotora del inconsciente, que vincula la actividad muscular con los deseos o expectativas de la persona (Hyman, 1999).

Puede probar diferentes péndulos y diferentes opciones de movimiento. Bastará fijar en su mente la dirección elegida para que esta aparezca fielmente.

Una vez haya practicado lo suficiente, sustituya el N y el S por la palabra *no*, y el E y el O por la palabra *sí*, de tal manera que un movimiento vertical significará «no», mientras que el movimiento horizontal expresará «sí». Ahora es el momento de formularse ciertas preguntas cuya respuesta pueda ser *sí* o *no*. Mantenga la pregunta en su mente unos segundos, y deje que la respuesta in-

consciente se exprese a través del péndulo sin su intervención voluntaria.

Visualización creativa

Este ejercicio lo puede realizar en cualquier posición, sentado en un sillón o tumbado en su cama antes de dormir. Se trata de dirigir su mente mientras su cuerpo se afloja y libera de tensiones. Muy útil en situaciones de preocupación, o de pensamientos invasivos que dificultan el descanso.

Empiece aplicándose su técnica de relajación favorita, usando el control respiratorio, o alguna variante de la relajación progresiva de Jacobson que acabo de exponer, o quizás algún método como el entrenamiento de Schultz, la meditación, algún ejercicio de yoga, etc.

Una vez lograda la relajación completa del cuerpo, mantenga sus ojos plácidamente cerrados e imagine un lugar donde usted pueda sentirse completamente seguro, cómodo y tranquilo... Un lugar que es solamente suyo, donde nada ni nadie le pueden molestar. Imagínese con todo lujo de detalles este sitio en el que se encuentra, su «Lugar Seguro en el Mundo».

Con su imaginación, observe a su derecha y vea todo lo que allí hay, todos y cada uno de los elementos presentes. También la luz, la tonalidad del aire que le envuelve, los brillos y sombras... Y de igual forma, siempre con sus párpados suavemente cerrados, investigue todo lo que se encuentra a su izquierda en este lugar tranquilo y afable que su mente ha creado para usted. Probablemente incluso sea capaz de verse a sí mismo en ese lugar, y verificar en qué posición está, o cuáles son sus movimientos allí. Compruebe cómo va vestido, cual es la expresión de su rostro, cual es la emoción que se adivina en sus ojos... Y en tanto toma nota mental de todo lo que acontece en su «Lugar Seguro en el Mundo», tal vez pueda prestar atención al tipo de sensaciones corporales que experimenta... Ponga atención a eso... Perciba su cuerpo relajado, seguro y tranquilo. Así como los pensamientos que cruzan su mente sin que usted haga nada para detenerlos, ni analizarlos, solo observarlos... Y mientras todo eso acontece, quizás pueda darse cuenta de las emociones que le surgen, o del tono emocional de su escena mental...

Uso de metáforas

Esta es la historia de un caminante que, tras una larga jornada de trayecto, siente sus músculos tan doloridos que decide descansar a la sombra de un gran árbol, sin saber que es «El Árbol de los Deseos».

El hombre inicialmente sonríe al sentir su espalda apoyarse contra el tronco, pero al cabo de algunos minutos piensa:

«Este suelo es demasiado pedregoso y no me permite descansar bien. ¡Lo que daría yo por disponer de una cama!»

Y en ese mismo instante, una enorme y acogedora cama aparece ante él. El caminante se frota sus ojos, incrédulo, y se acerca cautelosamente a la cama, no muy seguro de que sus sentidos no le estén engañando. Pero tras comprobar lo mullido que es el colchón, y percatarse del delicioso aroma a limpio que desprenden las sábanas, decide disfrutar de esa aparición. Y, de un brinco, se tumba en ella:

«¡Ah! ¡Esto es una delicia! ¡Qué maravillosa cama me ha regalado el cielo! Pero me siento tan dolorido, que en realidad necesitaría un buen masaje que me reacomode mis huesos.»

Automáticamente, aparece un excelente fisioterapeuta que le masajea eficazmente sus piernas,

aliviándole progresivamente de sus contracturas. El hombre se siente tan renovado, que no cesa de agradecer su buena suerte. Pero algo le incomoda aún:

«Todo esto es estupendo, pero para calmar mis tripas tendría que comer algo.»

Dicho y hecho, el «Árbol de los Deseos» actúa, y en ese preciso instante aparece una larga mesa con todo tipo de exquisitos manjares y los mejores vinos. El hombre, relamiéndose, se acerca a ella y empieza a degustar tranquilamente las viandas. Se toma todo el tiempo del mundo comiendo y bebiendo para saciar su sed y su voraz apetito tras tantas horas de polvoriento camino.

Largo rato después, bien comido y harto bebido, se sonríe para sí mientras se acerca de nuevo a la cama frotándose su abultado abdomen, y diciendo:

«¡Uf! Con todo lo que he comido y los efectos del vino, creo que me voy a echar una buena siesta. Siempre y cuando no haya un tigre por aquí que me acabe devorando...»

Luna enamorada, 2001, Tat.

«La forma de comunicarse con uno mismo que llamamos autohipnosis permite abrir paso a la intención más allá de los límites acostumbrados. Por eso es un estado de libertad acrecentada, en el cual uno se vuelve capaz de salir de sus rutinas de pensamiento –que son automatismos y condicionamientos–, y percibir la vida desde otros puntos de vista, creando nuevas posibilidades desde dentro hacia fuera».

David Picard, *Caminos de la mente: el atajo real*

RELÁJESE CON AUTOHIPNOSIS

Autohipnosis para disminuir la ansiedad .. 66
Exploración de nuevas respuestas con hipnosis 68
Ejercicio para facilitar el sueño 70

Seguramente cuando usted aprendió a conducir, los primeros intentos de poner en movimiento su coche le parecerían sumamente complejos.
Estar atendiendo simultáneamente a la llave de contacto, los pedales, el cambio de marchas, el freno de mano, los retrovisores, los intermitentes, el tráfico y los transeúntes, probablemente le produjeron más estrés que paz.
No obstante, hoy en día dar un paseo en coche le puede resultar placentero y relajante.
Así mismo le ocurrió también cuando aprendió a leer, o a caminar, o a practicar su *hobby* preferido, pues nadie nace enseñado y en el proceso de aprendizaje se requiere, además de una cierta tenacidad, una gran dosis de paciencia y motivación.
Pero sobre todo, lo imprescindible es esa actitud abierta a lo nuevo, esa predisposición a incorporar nuevas formas de hacer, sentir o pensar. Sin ello, si no hay una verdadera búsqueda proactiva del cambio, la rigidez de las viejas estructuras le obligará a un «hacer más de lo mismo» que le encorsetará y le alejará de su objetivo.
Por tanto, le invito a que adquiera esa disposición de ánimo que facilita la exploración de lo desconocido, manteniendo la curiosidad y la capacidad de asombro.
Déjese sorprender por su propia creatividad, y comprobará que cuando su «crítico interno» –la

voz que juzga todo lo que hace o debería hacer– deja espacio al «aprendiz» –ese mago lúcido y explorador–, el cambio, la evolución y el aprendizaje sencillamente ocurren. Sin más.

Durante los primeros días de práctica de la autohipnosis es importante reservar unos momentos en su agenda diaria, en los que nada ni nadie le interrumpan. Diez o quince minutos bastarán. Es interesante que el espacio sea agradable para usted, con una luz, temperatura y sonoridad adecuadas.

Si la hipnosis que va a realizar tiene como objetivo la relajación o la inducción del sueño, es aconsejable realizarla en la cama en el momento en que se disponga a dormir. Por el contrario, si su propósito es la búsqueda de nuevos caminos, el fomento de la concentración y la activación mental, entonces lo idóneo es practicar la autohipnosis sentado en una silla confortable, con la espalda erguida y las piernas sin cruzar. Asimismo, desconecte su teléfono y evite interrupciones de cualquier tipo.

Con la práctica diaria comprobará que cada vez requiere menor tiempo para gozar de los resultados, y ello fomenta a su vez esa disposición de ánimo receptivo y fluido que usted necesita para lograr su meta.

A continuación, le propongo tres ejercicios diferentes para aplicarse a usted mismo si así lo considera oportuno: el primero para disminuir la ansiedad, el segundo para encontrar nuevas soluciones, y el tercero para facilitar el sueño.

Autohipnosis para disminuir la ansiedad

Le sugiero un entrenamiento en dos fases:

Fase respiratoria

Practíquela tres veces al día durante dos semanas.

Recomendable sentarse en una silla con la columna recta apoyada en el respaldo, ambos pies en el suelo separados entre sí unos veinte centímetros, y sus manos sobre el reposabrazos o sobre sus muslos en una posición cómoda para usted.

Realice varias respiraciones profundas de tal manera que mientras inspire pueda contar mentalmente del 1 al 3, que durante la exhalación pueda contar del 1 al 4.

Hágalo hasta establecer su propio ritmo, con una cadencia que a usted le resulte cómoda y tranquilizadora.

Ponga atención ahora a las pausas que ocurren entre la entrada y la salida de aire en su cuerpo. ¿Cuánto duran? Cuente mentalmente durante esa pausa al final de su espiración, y verifique que cuanto más larga es, mayor control adquiere sobre su propio cuerpo y las sensaciones que percibe. Ahora es el momento de decirse mentalmente: «Me equilibro. Estoy ganando control sobre mí mismo. Cada vez siento más calma».

Permita que con cada inspiración (1, 2, 3...) el aire limpio, azul, transparente, le llene los pulmones. Déjelo ahí en una pequeña pausa (1, 2...) para que se expanda por todo el cuerpo. Y exhale aire gris

que se lleva sus tensiones (1, 2, 3, 4...) y le libera de todo aquello que ya no necesita (1, 2, 3...) haciéndole sentir más ligero.
Permanezca unos minutos en armonía con sus propios ritmos, dejando que el aire le oxigene y le nutra fluidamente.
Para finalizar, haga una inspiración muy profunda y suspire, abriendo los ojos y moviendo sus manos como si se sacudiera agua de los dedos.

Fase de firmeza y equilibrio

Practíquela dos veces al día (aconsejable una vez en casa y la otra en su lugar de trabajo) durante dos semanas.
Párese de pie con las piernas ligeramente separadas entre sí y los brazos cómodamente distendidos a ambos lados del cuerpo. Proceda a respirar como aprendió durante la fase respiratoria, mientras toma conciencia del contacto de sus pies en el suelo. Mientras cuenta del 1 al 3 en la inhalación, acompañe al aire en su recorrido por el cuerpo hasta las piernas, facilitando su oxigenación completa. Y cuando exhale contando del 1 al 4, sienta cómo sus pies se enraízan en la tierra ganando firmeza y aplomo.
Su ritmo respiratorio le da salud y vida, garantizándole la apertura de su pecho y el contacto de los pies en el suelo. Déjese llevar por esta imagen de usted mismo erguido, con el pecho expandido y las piernas firmemente ancladas.
¿Qué le sugiere?
Permita que su mente juegue con esta visión mientras usted permanece atento a los pensamientos que surgen y a las sensaciones que le llegan.
Puede ayudarle imaginar que su cuerpo es bañado por una luz cálida que desciende desde arriba, y que de alguna forma le ilumina tanto por fuera como por dentro. Puede llenarse de esa luz, respirarla y llevarla hasta cada rincón de su organismo, dándole mayor claridad y calidez. Ilumine todos sus rincones y sombras, llénese de lucidez. Incluso puede usted mismo redirigir luego esa energía que le embarga reubicando las palmas de sus manos como si fueran focos, dirigiendo el haz que emerge de sus palmas hacia cualquier lugar geográfico o afectivo donde usted sabe que es bueno enviar su luz...

Permanezca así todo el tiempo que requiera, hasta sentir que su cuerpo y su mente se han energetizado y limpiado lo suficiente.
Entonces realice un par de inspiraciones profundas, abra los ojos, y mueva sus manos como si quisiera sacudir el agua de sus dedos.

Exploración de nuevas respuestas con autohipnosis

Siéntese en un sillón cómodo con la espalda recostada y la cabeza apoyada. Trate de no cruzar las piernas, y de dejar sus manos suavemente posadas sobre sus piernas o sobre los apoyabrazos. Si lo prefiere, puede escuchar alguna música suave instrumental que le ayude a crear una atmósfera de recogimiento y concentración.

Una vez esté todo a punto, dedíquese unos minutos simplemente a permanecer en silencio, dejando que su mente vaya formulando poco a poco aquella cuestión que usted quiere resolver, superar, mejorar o explorar. No tenga prisa y no se contente con la primera frase que su pensamiento le dé, pues esa primera respuesta lo más seguro es que sea muy vehemente, poco matizada –formulada en términos dicotómicos del tipo blanco/negro, todo/nada, siempre/nunca, etc.–, o contiene deseos que escapan a sus posibilidades porque no está en sus manos obtenerlos –por ejemplo, si formulo que «Juan no me quiere lo suficiente». O por ejemplo «Lo que desearía superar es la enfermedad de mi suegra», ni tampoco: «lo que quiero es que el salario de mi marido sea mayor»–.

Así pues, permanezca en silencio cómodamente sentado y con una música suave que le acompañe, mientras permite que ese tema que le preocupa vaya formulándose en su mente en términos lo más precisos posible, y en relación a sus verdaderas capacidades de resolución o mejoría.

Que no le importe dedicar tiempo a esta fase, pues cuanto más concreto y realista sea su objetivo, más fácilmente lo alcanzará. Por ello no se contente en pensar «quiero ser feliz», sino que trate de matizar cómo sería esa felicidad, en qué se expresaría, cómo usted sabría que es feliz. Y compruebe que en su formulación el cambio no dependa de otras personas o de situaciones externas que no estén en sus manos.

Y mientras se concentra en ello, va escuchando suavemente la música que le llega, sintiendo que su cuerpo permanece a la expectativa, como si se mantuviera en *stand by* sin órdenes que ejecutar.

Pues a medida que usted atiende esas propuestas en forma de pensamientos, y las va perfilando cada vez más y mejor, su cuerpo va quedando a la espera; una espera paciente y lúcida, una espera respetuosa y cómplice.

Confíe en su cuerpo y en las respuestas que le puede dar si usted decide escucharlas.

Especialmente cuando haya dado con la formulación de la cuestión que le preocupa y/o el objetivo que se propone. Va a saber que está en el camino correcto porque su cuerpo se lo hará saber si usted se lo pide: una sensación de hormigueo o de «energía», un pequeño movimiento involuntario en uno de sus dedos o tal vez de un pie, un leve picor, o una sensación de constricción o bien de amplitud en alguna zona de su cuerpo, pueden ser parte de ese diálogo.

Juegue con ello, experimente, formule preguntas... y confíe en que su lado subconsciente le está respondiendo a través de sensaciones corporales.

Déjese llevar, y permítase el diálogo: su mente consciente propone con pensamientos estructurados a base de palabras, y su mente subconsciente le responde pre-verbalmente con sensaciones y emociones que usted puede ubicar fácilmente en alguna parte de su cuerpo...

¿Esas sensaciones tienen nombre? ¿Tienen función? ¿Qué verbo va asociado a ellas? También puede darles un color, o una forma simbólica. Otras veces una emoción o una sensación física nos llevan al recuerdo de una experiencia previa significativa, o a una escena metafórica... Todo ello son diversas formas de respuesta, planteando opciones de manera diferente a la habitual.

Cuando considere que ya ha alcanzado un estado hipnótico tal que le ha permitido viajar en el tiempo y el espacio, puede decirse mentalmente: «me siento completamente en calma y renovado», añadiendo: «de tal forma que ahora puedo continuar con mis tareas con total lucidez, flexibilidad y bienestar interno». En ese momento usted podrá iniciar mentalmente una cuenta hacia atrás desde el 5 hasta el 0, y con cada número irá volviendo progresivamente a su estado normal de consciencia. Puede seguir este esquema aproximado: «cinco, soy consciente de mi cuerpo reposando en el sillón de mi despacho. Cuatro, siento las piernas entumecidas pero logro mover un poco mis pies. Tres, movilizo despacio los dedos de mis manos, y un poco el cuello, logrando una progresiva elasticidad de mis miembros. Dos, me doy cuenta de que me siento sosegado, listo para emprender con buen ánimo mi jornada de trabajo. Uno, me desperezo, muevo mi cabeza, siento mi respiración pausada. Cero, abro los ojos y me siento completamente en calma».

Ejercicio para facilitar el sueño

Antes de empezar, pídale a los suyos que no le interrumpan, y vea si requiere ir al servicio o si tiene cualquier otra necesidad previa antes de cerrar la puerta y desconectar todos los teléfonos. También puede seleccionar una música relajante que le facilite entrar en ritmo alfa, siempre y cuando el aparato se apague automáticamente cuando usted ya esté durmiendo.

Seguramente le haya ocurrido en alguna ocasión que se ha quedado dormido mientras leía un libro. Ya sabe cómo sucede: está sentado en un buen sillón, o tumbado en su cama, y poco a poco los ojos empiezan a cansarse, como si sus párpados pesaran más de lo habitual, o su mente no lograra retener ni una sola palabra leída. Entonces empieza a leer varias veces la misma línea, y se da cuenta de que los párpados se le cierran sin querer. Trata de mantenerlos abiertos, pero cuanto más hace por permanecer despierto, más irresistible le parece cerrar los ojos y gozar de un merecido sueño.

Si usted desea dormir ahora, mientras está leyendo este libro que tiene en sus manos, le invito a que se ponga cómodo sobre su propia cama, con los brazos extendidos a lo largo de su cuerpo y las piernas ligeramente separadas entre sí, procurando que los pies no le queden apretados por las sábanas. Y que lea este ejercicio muy lentamente, al ritmo de una palabra cada 3 segundos. Incluso puede cerrar los ojos después de leer cada palabra, sintiendo cómo descansan sus párpados durante un breve instante. Es muy probable que no llegue al final del capítulo, porque a cada párrafo profundizará su nivel de trance y se sentirá más y más cómodo. Así que si le invade el sueño durante el ejercicio, simplemente abandónese y disfrute de un reparador descanso fisiológico, de manera que al día siguiente se pueda sentir completamente renovado y con la mente despejada.

Empiece a leer ahora, una palabra cada 3 segundos. Cuando esté preparado para dormir, simplemente deje sus ojos cerrados, sin esfuerzo. Apoye bien su cabeza, moviendo ligeramente el cuello hasta alcanzar la posición más relajada para usted. Y tras realizar una inspiración profunda, exhale lentamente hasta vaciarse de aire y de tensiones. Realice una nueva inspiración profunda por la nariz, mantenga la respiración unos 3 segundos, y expulse de nuevo el aire por la boca, sintiendo que su cuerpo se afloja como si fuera un globo que se deshincha suavemente. Repita una tercera vez, pero en esta ocasión cerrará los ojos durante la espiración: tome aire..., manténgalo unos segundos..., y suéltelo larga y pausadamente mientras sus ojos se cierran y siente cómo su cuerpo se ablanda.

Es el momento ahora de repasar con su mente, y de forma ordenada, todo su cuerpo, comprobando cómo se afloja cada una de sus partes. Puede empezar por sus pies: investigando si su posición es la más cómoda. Examine los estímulos que obtiene a través de sus pies: su temperatura, el tacto de las sábanas, las sensaciones percibidas... Puede entonces darse la siguiente orden mental: «Los pies se aflojan, y me siento progresivamente más relajado».

Continúe visualizando mentalmente sus piernas, chequeando si existe alguna tensión, alguna incomodidad, o bien si están en una posición óptima que le permita irse impregnando de todas las sensaciones obtenidas: la progresiva sensación de peso en sus piernas, especialmente en los puntos de apoyo sobre la cama, la agradable sensación de abandono que va adquiriendo... Y de nuevo puede decirse: «mis piernas se aflojan, y me siento tranquilamente en calma».

Examine ahora su cadera, relaje sus nalgas, y sienta cómo el peso de su cuerpo se distribuye uniformemente sobre su espalda, desde su extremo inferior a nivel lumbar, hasta su nuca. Compruebe que nada le incomoda y que su cuerpo descansa plácidamente. Realice una inspiración profunda mientras afloja sus hombros durante 3 segundos, y después exhale el aire por la boca dejándolos libres y sintiendo que la relajación se expande hacia todo el pecho y ambos codos. Permita que el bienestar vaya recorriéndole mientras afirma mentalmente: «mis brazos se relajan y me siento progresivamente en calma».

Seguidamente puede explorar sus manos visualizando mentalmente cada uno de los dedos, comprobando qué posición adoptan, y qué estímulos puede recoger desde allí. Entreténgase en chequear todas las sensaciones que experimenten sus manos, y trate de discriminar cuáles son las percepciones que le producen mayor bienestar: ¿tal vez la sensación de adormecimiento?, ¿o el aumento de temperatura que experimentan sus palmas?, ¿o quizás la impresión de que sus dedos se difuminan y pierden los límites de su silueta?

Obsérvese a usted mismo mentalmente en la posición en la que se encuentra, y mencione para sí todas y cada una de las sensaciones que experimenta en este momento.

Recuerde que está aprendiendo una agradable técnica de autohipnosis, y que darse cuenta de los fenómenos que experimenta le facilitará entrar con mayor rapidez en un relajado trance la próxima vez que así lo desee. Por ello permanezca atento a los cambios que se van produciendo en usted. ¿Qué hay de diferente entre su estado de hace unos minutos, antes de empezar el ejercicio, y ahora? Tómese su tiempo en averiguarlo y mencionarlo para sí mismo.

Al finalizar, tome aire profundamente y mientras espira por la boca dígase en silencio: «me siento en completa calma».

A partir de este momento usted ya tiene el cuerpo relajado. Ahora deberá relajar su mente, y una buena forma de hacerlo es imaginar o recordar una situación en la que se sintió muy bien, tranquilo, despreocupado, contento y relajado. Lo importante es que deje fluir su mente hacia esa escena real o imaginada.

Entreténgase en evocar los detalles de su vivencia personal.

Por ejemplo, supongamos que su escena favorita es un paseo por el campo. En este caso, repase todo el paisaje: ¿cómo es la vegetación, qué colores tiene? ¿Se trata de árboles altos y frondosos, o más bien de un prado con hierba verde, o quizás un campo de trigo? ¿Existen montañas? ¿Cómo son: altas y nevadas, o verdes y redondeadas? Deje que sus ojos se eleven suavemente al cielo para ver si hay nubes o sol, y sienta la temperatura en su piel.

Tal vez puede escuchar el viento entre las hojas de los árboles, o el zumbar de moscas y abejas, o quizás el canto de los pájaros. Inspire honda y profundamente en busca de fragancias florales o de vegetación, o de cualquier otro aroma que le acompañe en su grato paseo por el campo. Y mientras integra todas esas sensaciones, deje fluir sus pensamientos si es que le viene alguno a la mente.

Tal vez algo parecido a «mmhh, ¡qué bien me lo pasaba allí cuando era niño!», o bien «me gustaría tener más tiempo para realizar estos paseos más a menudo»... Pensamientos que acuden por sí solos, le cruzan la mente, y desaparecen sin pretender analizarlos ni capturarlos. Déjese llevar, simplemente observando su escena, y los pensamientos y emociones que la evocación le va produciendo, como si fuera testigo de su propia experiencia.

Regálese unos minutos para observarse... ¿cómo es el camino?, ¿está solo o con alguien más?, ¿tal vez silba o tararea una cancioncilla mientras pasea?

Y mientras se sumerge más y más en ese viaje, va sintiendo mayor libertad para la ensoñación nuevos paisajes, nuevas situaciones.

No importa si su mente parece querer volar hacia lugares menos concretos, incluso más absurdos. Ya sabe que el lenguaje de los sueños no sigue la lógica de la vigilia. Permítaselo, dese permiso para profundizar en este estado onírico que le está llevando dulcemente hacia la libertad...

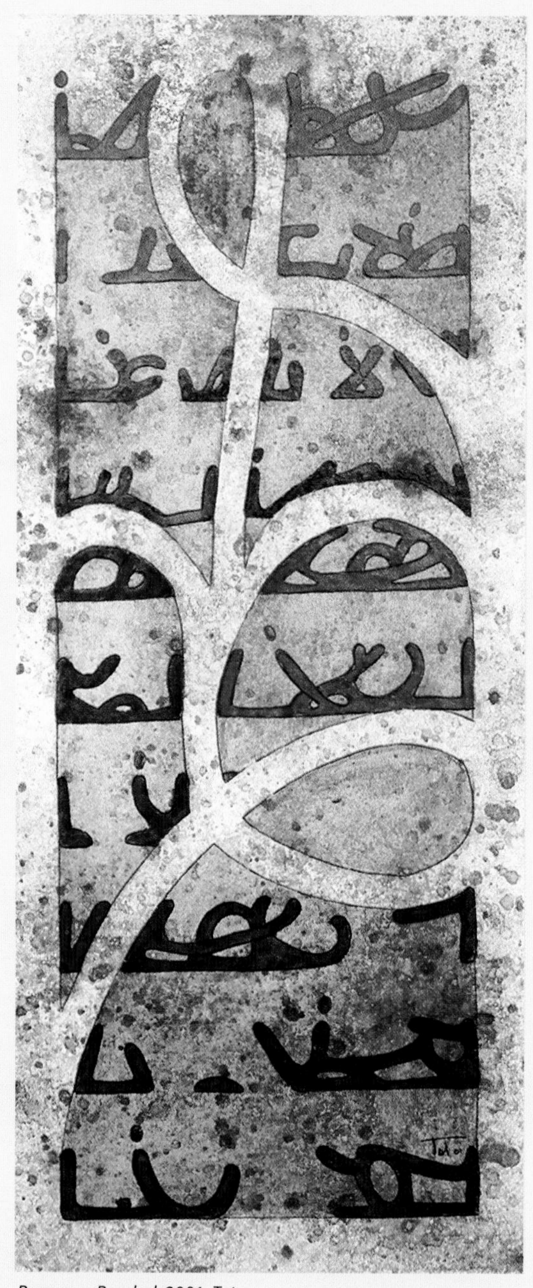

Poema en Bagdad, 2001, Tat.

«Con las palabras se puede envenenar y embelesar.»
Gorgias de Leontini, sofista de la Grecia clásica

USO DE LA HIPNOSIS EN MEDICINA. EL ALIVIO DEL DOLOR

Neurofisiología del dolor 78
Analgesia hipnótica 81
Algunas sugestiones que se emplean
en el tratamiento del dolor 83
La hipnosis como herramienta facilitadora
del crecimiento personal 86

El dolor es una conducta, un sentimiento, un pensamiento y una experiencia. Responsabilizarse de cómo afrontar el dolor es una elección consciente, porque parafraseando al Dr. Ewin, «quizás el dolor es inevitable, pero el sufrimiento es opcional».
Un dolor agudo, es decir, de aparición inmediata tras una lesión, es una señal imprescindible que nos ayuda a sobrevivir. Porque si no sintiéramos dolor, ¿cómo nos daríamos cuenta de que nos hemos herido un dedo, o de que nos quemamos con una salpicadura de aceite? Pero el dolor crónico, es decir, aquel que dura más tiempo del previsto (suele hablarse de más de 3-6 meses), puede generar un sufrimiento innecesario. Cierto que también es un sistema de alerta, porque nos indica cuándo debemos descansar para no lesionarnos aun más, pero hay que aprender a dialogar con él, responsabilizándonos de su gestión, para que no sea un sufrimiento estéril.
La autohipnosis es una de las mejores herramientas no farmacológicas que disponemos para afrontar el dolor. Y practicarla bajo los cuidados y la guía de un profesional de la salud experto en hipnosis, le reforzará y fortalecerá aun más su autocontrol.
Una de las grandes ventajas de usar la hipnosis en la gestión del dolor es que carece de efectos secundarios. Al no ser un agente externo que modifique nuestros procesos bioquímicos, sino un método interno para comunicarnos con nuestro subconsciente –aquella parte de nuestra mente que está por detrás del telón de la consciencia, y que regula todas nuestras funciones autónomas– la convierte en una práctica 100% segura. Puesto que el inconsciente simplemente no aceptará

ninguna sugestión que pueda ser inaceptable o dañina para uno mismo.

Price (1999) da la siguiente definición: «El dolor es una experiencia corporal desagradable que hace sentir como si alguna parte del cuerpo estuviera siendo dañada o destruida, y se percibe como una amenaza o interferencia con la propia funcionalidad y salud, asociándose a emociones negativas como miedo, ansiedad, ira o depresión».

El inconsciente controla nuestros automatismos y nuestras funciones vitales –pulso, respiración, presión arterial, movimientos peristálticos de los intestinos, el ciclo de sueño y vigilia, etc.–, incluyendo el dolor. Así que hay que establecer una comunicación con él para aliviar el dolor innecesario. Un objetivo realista al iniciar un tratamiento con hipnosis no es hacer desaparecer totalmente el dolor y para siempre –el dolor está allí por una razón, es un recordatorio de que debemos llevar una vida diferente, y nos recuerda nuestros límites–, pero sí mitigarlo lo suficiente como para poder llevar una vida lo máximo de funcional posible. Como el dolor es una experiencia muy personal, y nadie más puede sentirlo ni entenderlo, suele empeorar cuando quien padece un dolor crónico se esfuerza en demostrar lo que siente. Eso no suele conducir más que a la sensación de incomprensión, frustración, y soledad. Porque, por desgracia, las personas que sufren dolor crónico se ven atrapadas entre sus necesidades y las de las personas que les rodean, que requieren verlos curados y a salvo. Ese conflicto de intereses crea tensión, y eso hace que afrontar el dolor sea aun más difícil de lo que ya es. Por lo tanto, podemos deducir que el dolor tiene un componente físico o sensorial, y otro psicológico o emocional, entrelazados. Por eso, una de las claves para aliviar el dolor consiste en desenredarlos, separando el componente emocional de forma que solo haya que lidiar con el dolor orgánico. Por eso, para domesticar el dolor se requiere aprender a reenfocar la atención hacia pensamientos y actividades reconfortantes. Se trata de cambiar mentalmente un estado de incomodidad por otro de comodidad. El placer es lo opuesto a la tensión y el dolor, de modo que cuando uno sabe disfrutar y relajarse, su tensión disminuye de forma natural, y el ánimo se vuelve más alegre y positivo a pesar del dolor.

En ese sentido, Bassman y Wester proponen sus «10 mandamientos» para afrontar el dolor crónico (*Hypnosis and pain control*, 1984):

1 Notar dónde me siento relativamente cómodo.

2 Optimizar mi control.

3 Participar en actividades positivas.

4 Abrir mi mente a nuevas posibilidades y opciones, aumentando mi flexibilidad mental.

5 Relajarme regularmente.

6 Evaluar mi tiempo y establecer prioridades.

7 Practicar la autohipnosis para obtener control sobre mis síntomas.

8 Evitar, si es posible, las situaciones demasiado tensas.

9 Individualizar mi programa de actividades, y detenerme si aflora el dolor.

10 Negociar la ayuda de otros.

Neurofisiología del dolor

Para comprender cómo la hipnosis puede ayudar a mitigar el dolor, sin reducirlo a un mero proceso sugestivo, es interesante saber cómo funcionan nuestros circuitos.
Las neuronas especializadas en la detección del dolor se llaman «nociceptoras». Hay dos tipos de fibras nociceptoras:

› **Las fibras A:** mucho más rápidas gracias a que tienen mielina. Se activan básicamente por estimulación mecánica, como la presión, aunque también por otros mecanismos.

› **Las fibras C:** son de conducción muy lenta, y responden a estímulos térmicos, mecánicos y químicos

Por eso, cuando nos golpeamos un dedo, primero aparece la sensación lancinante inmediata del dolor agudo transmitido por las fibras A, y seguidamente nos queda un dolor más persistente, intenso y sordo, transmitido por las C.
Cuando el dolor ya ha cumplido su señal de alarma, debe desactivarse. Se han descrito diversos mecanismos para regularlo:

› Por un lado, el hecho de que el primer impulso se transmita por las rápidas fibras A, a través de la médula espinal hasta los centros de registro del dolor en el cerebro, puede ser suficiente para que las fibras C hallen bloqueados estos centros, impidiendo que sus impulsos puedan ser registrados. Dentro de las fibras A, hay un subtipo llamado delta, Aδ, especialmente rápido, que transmite sensaciones de presión, contacto y vibración. Sus mensajes son los primeros en llegar, y bloquean la recepción de los mensajes de las otras fibras. Esto explica por qué cuando nos lesionamos por ejemplo un tobillo, el acto de frotarlo o masajearlo parece que alivia temporalmente el dolor, ya que proporciona una contra-estimulación inhibitoria. Por otro lado, cuando alguien sufre un dolor permanente, el hecho de sufrir un nuevo accidente que provoque dolor agudo hace que se olvide temporalmente el crónico.

› La corteza cerebral y algunos centros del tronco encefálico, envían fibras descendentes que terminan en diferentes estaciones, como el tálamo y la médula espinal. Estas conexiones descendentes son capaces de controlar selectivamente la transmisión de las señales sensoriales, y lo más común es que su efecto sea inhibidor.

› Pero además de las fibras nociceptoras, es sabido que ante un peligro, amenaza o accidente, se pone en marcha el sistema nervioso autónomo y el eje hipófiso-suprarrenal, liberando adrenalina, norepinefrina y cortisol. Estas hormonas activan el llamado sistema de las «tres F» por sus iniciales en inglés, *fight*, *flight* y *freeze*, es decir, lucha, retirada o congelación. Este mecanismo es el que nos permite sobrevivir a un peligro, ya sea luchando contra él, huyendo de él, o paralizándonos (mecanismo primitivo por el cual intentamos pasar desapercibidos ante el depredador, consistente en «hacerse el muerto»). En esta reacción de «lucha/huida» el corazón y la respi-

ración se aceleran, aumenta la tensión arterial y la musculatura adquiere mayor vigorosidad. De tal forma que es posible que en «el fragor de la batalla» una persona ni siquiera tome consciencia del dolor de una lesión. Sin embargo, si no se da la finalización a esta respuesta nerviosa y hormonal, manteniéndose permanentemente en estado de hipervigilancia y activación, los altos niveles de adrenalina y cortisol pueden llegar a ser destructivos. Por eso, los factores que desconectan la respuesta de «las 3 F», también pueden modular o reducir el dolor. Uno de estos factores es, sin duda, la relajación, ya que con ella se activa el sistema parasimpático, responsable del descanso y la recuperación de las funciones autónomas del cuerpo.

› Cuando se produce una lesión de un tejido, se liberan una serie de sustancias químicas «algógenas». Estas, a su vez, producen la liberación de histamina desde los mastocitos, y de serotonina desde las plaquetas. Y tanto la histamina como la serotonina son potentes activadores de los nociceptores. Por eso, los antidepresivos del tipo ISRS (Inhibidor Selectivo de la Recaptación de Serotonina) están indicados en el tratamiento del dolor crónico.

› Desde que en 1973 la Dra. Candance Pert descubrió las endorfinas se sabe que disponemos de esos neurotransmisores que ejercen el papel de «morfina interna», con funciones similares vinculadas al placer y la reducción del dolor. Las endorfinas pueden ser producidas de forma natural tras una actividad deportiva.

Por lo tanto, podemos afirmar que el dolor crónico es mantenido por una falta de mecanismos eficaces para desactivar la respuesta, ya sea a nivel químico, eléctrico, mecánico, o emocional.

Eimer y Freeman propusieron «las 6 estrategias de control del dolor» (*Autohipnosis contra el dolor*, B. N. Eimer, 2002):

1 **Relajación profunda.** Ya que la relajación es opuesta a las sensaciones dolorosas.

2 **Evitar el pensamiento catastrófico.** Es aquel que consiste en agrandar y exagerar los aspectos negativos de una situación, y esperar lo peor. Cambiar la forma de pensar respecto al dolor y la forma de afrontarlo, permite situar las cosas en su justa medida.

3 **Dirección.** Se trata de dirigir la propia conducta, adquiriendo una serie de habilidades que ayuden a adquirir control sobre la experiencia.

4 **Distracción.** Implica reorientar la atención, alejándose del dolor para centrarse en otros aspectos.

5 **Distorsión.** Se trata de usar la imaginación y la creatividad para alterar la experiencia subjetiva.

6 **Disociación.** Estado mental que lleva a desconectarse del dolor, desapegarse de él como si no fuera propio.

La hipnosis funciona a varios niveles simultáneamente, ya que modifica las respuestas cognitivas (creencias y pensamientos), las emociones implicadas (respuestas afectivas y motivacionales), y las respuestas sensitivo-motoras, afrontando el dolor de manera multifactorial.

Analgesia hipnótica

En el año 2000, G. H. Montgomery presentó, en el *International Journal of Clinical and Experimental Hipnosis*, el análisis de varios estudios de analgesia inducida hipnóticamente, con una mejoría del 75% en el alivio del dolor en todos los pacientes que la recibieron. Y concluía que la analgesia hipnótica tendría que ser considerada «una alternativa de tratamiento muy bien fundamentada».
Mediante hipnosis puede lograrse una hipoestesia (menor sensibilidad), analgesia (disminución del dolor) o anestesia (ausencia de dolor).
Aunque hay docenas de sugestiones creativas para el control del dolor, Hilgard propuso tres tipos de enfoques para el manejo del dolor (en *Hypnosis in the relief of pain*, New York, 1994):

a) Sugestiones directas de reducción del dolor. Suelen seguir los enfoques hipnóticos tradicionales, más directivos. Incluyen sugestiones de que una parte del cuerpo se está adormeciendo «como si le inyectaran un agente anestésico» o una instrucción mucho más directa: «ahora ya no siente dolor».

En autohipnosis el paciente se puede decir a sí mismo: «Cada vez que me relaje y piense en mi "Lugar Favorito", todo mi cuerpo se sentirá envuelto en una nube de confort y de bienestar».

b) Alteración de la experiencia del dolor. Se puede solicitar al paciente que se enfoque en su dolor y le dé una forma, tamaño, color, textura, incluso que le ponga nombre a lo que siente. Por ejemplo, la migraña se puede representar como una cinta negra que constriñe la cabeza, o el dolor de estómago como una llamarada de fuego rojo. Posteriormente se le pide que altere estas cualidades, por ejemplo pasar de la llama roja a un círculo blanco sedativo. También puede dejarse que el dolor crezca y se encoja, tiemble, se mueva de un lado a otro, o desaparezca. Si el paciente verifica que puede «mover el dolor», comprueba que está en sus manos disminuirlo o hacer que sea menos molesto. Otra técnica común es sugerir la distorsión del tiempo: las largas horas de espera entre dosis de calmantes pueden percibirse «como si hubiera pasado un momento muy breve»; y por el contrario, espacios cortos de tiempo también se pueden transformar en «un largo y reconfortante sueño». La alteración de la experiencia del dolor puede incluir cambios en el estado emocional, e incluso más recientemente se ha reportado la «implantación de recuerdos» de períodos de alivio que algunos pacientes con dolor crónico no han tenido en meses.

c) Redirección de la atención. La distracción en los casos de dolor agudo leve es bien sencilla: basta frotar un área, o se orienta la atención hacia algo muy interesante. En el caso del dolor crónico se trata de experimentar atención enfocada y sostenida con la que poder redirigir el interés hacia pensamientos o recuerdos más agradables que el dolor (*Dolor y sufrimiento humano. Técnicas no invasivas psicológicas para el manejo del dolor crónico*. Domínguez y Olvera, 2005). Se trata de recordar vívidamente experiencias placenteras y dejarse abstraer por ellas, o de provocar escenarios imaginarios que sean incompatibles con la tensión, el dolor y la incomodidad.

Activar la imaginación sensorial es un medio de cambiar las sensaciones y las experiencias sensitivas. Como ya se mencionó en el capítulo 5, para algunas personas lo más fascinante es la visualización, especialmente de paisajes placenteros. Los estudios de Stephen Kaplan, de la Universidad de Michigan, en los años 80 demostraron que las escenas ligadas a la naturaleza son las más relajantes, mejoran el nivel de atención, y disminuyen la irritabilidad. Posteriormente, los investigadores William Sullivan y Frances Kuo, de la Universidad de Illinois, constataron que también existe una relación entre la exposición a la naturaleza y el autocontrol.

Otras personas responden mejor al recuerdo de sonidos o músicas: un buen concierto, una conversación amistosa, el sonido del agua, o el trinar de los pájaros en el campo... Otros pueden absorberse más recordando un olor o un sabor agradable, como el del pan recién horneado, por ejemplo, o el del perfume de jazmines en una noche de verano, etc. Y una gran mayoría responden perfectamente a las sugestiones kinestésicas, recordando sensaciones corporales y/o movimientos ligados a experiencias positivas, como dar un paseo, bañarse en una piscina, o recibir un suave masaje.

Algunas sugestiones que se emplean en el tratamiento del dolor

Recuerde que el dolor es una alarma que debe atenderse antes de ser desactivada.

En ningún caso la lectura de este libro puede sustituir la valoración clínica de un profesional de la salud. Si usted padece un dolor, ya sea agudo o crónico, tal vez requiere un diagnóstico médico previo a la realización de cualquier tratamiento, incluida la autohipnosis.

Método del guante

Mientras usted está cómodamente sentado, su respiración va proporcionando el grado de oxigenación necesario para cada célula de su cuerpo, permitiendo que todo fluya de forma natural. Con cada respiración va sintiendo que no necesita controlar eso, puesto que ya hay mecanismos automáticos que se encargan sin ningún esfuerzo por su parte. Continúe respirando, y permita que el aire oxigenado se reparta por su cuerpo de forma inteligente sin que usted deba preocuparse por ello.

Y cuando se sepa preparado, va a visualizar un grueso guante de cuero. Del tamaño, color y textura que su mente inconsciente decida. Póngaselo y compruebe que, dentro de él, su mano queda absolutamente protegida, de forma que no puede sentir nada del exterior. La gruesa piel del guante le aísla de la temperatura externa, y deja de sentir la diferencia entre una textura suave y otra rugosa. Con el guante puesto, es como si su mano se volviera insensible, protegiéndole también de cualquier arañazo, raspadura o pinchazo externos. Es un guante protector que le vuelve su mano insensible al tacto, aunque sí puede sentir su peso o su posición espacial. En realidad ve perfectamente el guante, y siente su peso en su mano, y eso hace que se sienta más seguro de que nada puede dañarle ni producirle dolor.

Mientras lleva su guante puesto, se asegura que su mano está a salvo, insensible a todos los factores externos. Nada puede dañarle. Su mano

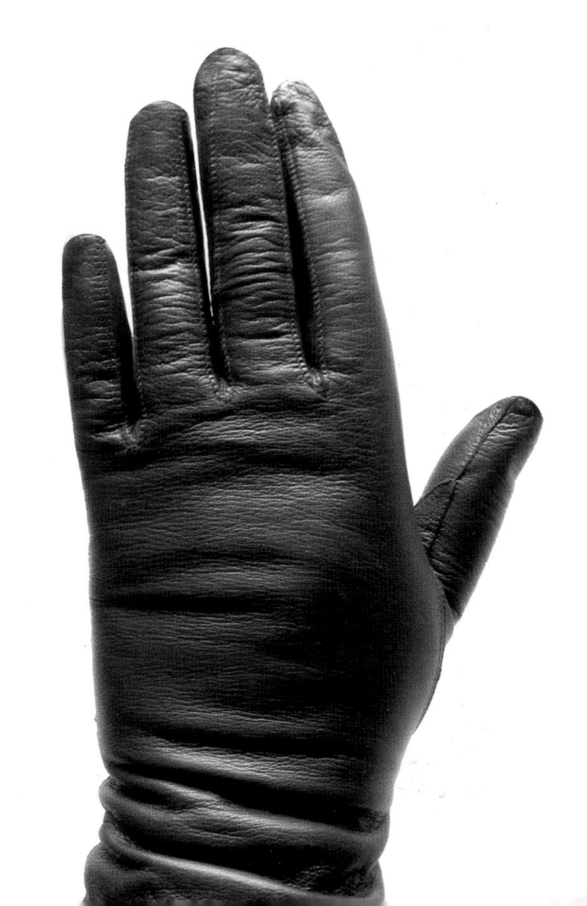

está perfectamente protegida del dolor. Su mano permanece insensible hasta que usted decida por sí mismo retirarse lentamente el guante. Y cuando lo haga, le sorprenderá comprobar que su mano está ilesa porque el guante le ha asegurado protección y confort.

Las aguas sanadoras

Durante los próximos minutos, usted va a tener una de las mejores experiencias sensoriales que pueda recordar. No importa cómo se halle en este momento, ni dónde esté leyendo este libro que tiene entre sus manos. La cuestión es que mientras lee, se va a ver transportado mágicamente a un balneario de aguas medicinales. Espere, no disfrute mucho todavía en el agua, vaya despacio puesto que tiene todo el tiempo que desee. Debo decirle que en este balneario hay varios tipos de bañeras o piscinas termales. Tal vez ya está chapoteando en alguna de ellas, pero quiero informarle de que al fondo de la sala, donde está esa gran puerta, encontrará el acceso a otro recinto mucho más privado, solo para usted, donde nada ni nadie le molestará. Puede dirigirse hacia allí, y comprobar que hay dos bañeras, una un tanto menor que la otra, a su entera disposición.

Observe bien el espacio cálidamente iluminado, la presencia de todos los elementos que usted necesita para gozar de un buen baño medicinal. Compruebe que todo está listo para su disfrute. Y cuando esté preparado, cierre la puerta dejando afuera todo el mundo exterior, y sumérjase suavemente en la bañera más pequeña.

Puede comprobar que la temperatura del agua es óptima, y que puede colocarse de la forma más cómoda para su cuerpo. En el agua su cuerpo parece pesar menos, como si poco a poco se fuera desprendiendo de todas las pesadas cargas del día. Las tensiones, las preocupaciones, y el dolor, van desprendiéndose de usted como se desprenden las hojas secas de una planta, y van diluyéndose en el agua. Sienta cómo sus molestias van aflojándose y liberándose de su cuerpo progresivamente, quedando en el agua.

Mientras sus cargas van desprendiéndose, usted se va sintiendo más liviano, más fluido... y comprueba que el agua va tornándose más turbia a medida que va incorporando todo aquello que usted suelta.

Vea cómo el agua va cambiando su color y su grado de transparencia, a medida que diluye en ella su dolor y sus preocupaciones, y va sintiéndose cada vez mejor al saber que todo eso ya no está en su cuerpo sino en el agua.

Continúe con su proceso de limpieza tanto como considere necesario, hasta comprobar que ya no sale nada más de usted. Y entonces, busque a tientas con su mano el tapón del desagüe, tire de él, y vea como toda esa suciedad se va por el desagüe y desaparece. Es una escena impactante que produce un extraño goce... Todo se va, hasta desaparecer la última gota.

Ahora es el momento de sumergirse en la segunda bañera. Esta tiene el agua más transparente que jamás haya visto, y la temperatura es deliciosa. Es su tiempo, es su baño de sanación y relax, es su tratamiento benefactor. Así que puede sumergirse con total comodidad en estas aguas medicinales, y dejarse purificar centímetro a centímetro, todo su cuerpo. No tenga ninguna prisa. Todo está bien. Además puede agregarle el contenido de cualquiera de los frasquitos que tiene a su derecha. En ellos encontrará diferentes elementos que contribuirán a su bienestar: fragancias, colores, texturas, aceites aromáticos... Descubra qué hay en ellos, y elija lo que mejor le convenga.

También puede hacer sonar una suave música con solo chascar sus dedos. Y después simplemente abandonarse y gozar de la experiencia,

sabiendo que cuanto mayor sea su placer ahora, mejor va a sentirse su cuerpo durante el resto del día. Así que invierta tanto tiempo como sea capaz de disfrutar de sus aguas termales, para asegurarse de que el resto del día sea igualmente fluido y de gran bienestar. Todo está bien.

Y de alguna manera su inconsciente le dice que la próxima vez que usted visite su balneario, los efectos beneficiosos del agua se harán sentir con mayor facilidad y durarán más tiempo. Se siente en completa calma...

Disfrute de su merecido baño medicinal tanto como considere beneficioso para sí. Y cuando se sienta preparado para salir, bastará que emerja de su piscina y abandone la sala privada, volviendo poco a poco a las letras de este libro, a sus manos sujetándolo, al espacio donde usted se encuentra mientras lee este ejercicio.

Respire profundamente un par de veces para reactivarse, y despierte totalmente.

La hipnosis como herramienta facilitadora del crecimiento personal

Entrevista a la Dra. Esther Costa por Isabel Martínez

Isabel Martínez: Hace unos meses fui por primera vez a tu consulta porque mi fobia a la sangre hacía que me desmayara –entre otras reacciones desagradables– cada vez que tenía que hacerme un análisis (y eso ocurre cada seis meses), y porque no quería sentirme esclava de ese temor irracional. Hoy, cuando mis amigas me preguntan si no me da miedo someterme a hipnosis, les respondo que es la mejor inversión en mí misma que he hecho jamás. Y eso porque, a pesar de que tras la primera sesión pensé «esto es como una meditación guiada», mi sorpresa ha sido encontrarme con un mundo entero por explorar en esos «viajes» que se me figuran tan reales.

Dra. Costa: El miedo al trance hipnótico es muy frecuente, pero tú viniste a verme a pesar de todo. ¿Cómo te decidiste?

Isabel Martínez: Sí, fui a verte porque quería experimentarlo y sacar mis propias conclusiones. Pero es cierto que había creído tontamente que tendría que cederle el control de mi mente al terapeuta. Por eso me encargué de buscar a alguien que me inspirara confianza, como tú (por ser mujer, médico y docente, y también por la empatía que me producía el hecho de que hayas trabajado en cooperación internacional).

Dra. Costa: Gracias por tu confianza, ya que esta es imprescindible para establecer una relación terapéutica. Como digo, es frecuente el temor a lo desconocido, asociado a la desinformación que nos ofrecen los *shows* televisivos o circenses que inducen a que mucha gente crea, como tú misma has mencionado, que la hipnosis supone perder la fuerza de voluntad y someterse al dictado del hipnólogo. Pero bueno, ya has visto que no es así.

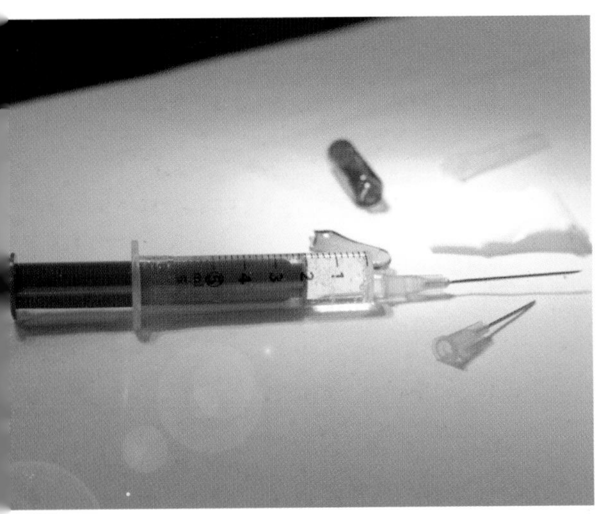

Mi fobia a la sangre me suponía desmayarme cada vez que tenía que hacerme un análisis.

Cuando mis amigas me preguntan si no me da miedo someterme a hipnosis, les contesto que es la mejor inversión en mí misma que he hecho jamás.

Isabel Martínez: No sólo he comprobado que no es así, sino que la hipnosis me ha abierto a lo grande las puertas de ese universo fascinante que es el subconsciente. Y eso que, al recelo del

que hemos hablado, tenía que sumarle lo que me habían dicho algunos médicos a quienes había consultado: «La hipnosis no sirve para nada. Es un simple parche de la conciencia». ¿Tú crees que se trata sólo de desconocimiento?
Dra. Costa: Bueno, a pesar de que todavía hay mucho escepticismo basado en el paradigma lineal de «sólo creo en lo que puedo medir», por suerte cada vez hay más profesionales de la salud interesados en la aplicación de la Hipnosis Clínica. Pero sigue habiendo mucho desconocimiento entre médicos y psicólogos, sí. Mira, te diré que, durante la carrera de Medicina, la única vez que escuché hablar de hipnosis fue en una asignatura llamada Historia de la Medicina. En ella nos hablaron de la *hipnosis mesmérica* o *magnetismo*, presentándola como un fenómeno social en el que una serie de mujeres histéricas convulsionaban en grupo inducidas por F. A. Mesmer. Y a este nos lo describieron como un médico histriónico y megalómano que trepó a la fama para después caer en el más humillante de los descréditos, cuando una comisión investigadora decidió que el entonces llamado magnetismo no existía.
Parece ser que, aunque ya han transcurrido casi 250 años, muchos médicos todavía asocian la Hipnosis a las prácticas de Mesmer, más propias de un *showman* que de un científico (sin desdeñar que gracias a él se empezaron a estudiar diversas técnicas de sugestión con fines terapéuticos).
Isabel Martínez: Es cierto que durante la inducción hipnótica tú me das pautas, pero cuando reflexiono a posteriori me doy cuenta de que los escenarios, lugares, tiempos, personas, objetos y sucesos que imagino de una forma tan vívida son míos. Son creaciones simbólicas de mi subconsciente que, en un estado de conciencia normal, yo sería incapaz de crear (y que a veces me lleva mi tiempo descifrar). ¿Se podría conseguir lo mismo con la autohipnosis si uno supiera exactamente qué es lo que busca y cómo buscarlo? Haciéndolo más personal, ¿te podrías ayudar a ti misma con la hipnosis si tuvieras una fobia, por ejemplo?
Dra. Costa: Aplicarse a sí mismo las técnicas hipnóticas se conoce con el nombre de autohipnosis, y cualquiera las puede aprender y poner en práctica cuando guste, y con total seguridad. Como aprender a meditar, o a cocinar, o a leer. Pero para aprenderlas necesitas que alguien te enseñe inicialmente, y que te haga caer en la cuenta de todas las manifestaciones propias del trance hipnótico que vas experimentando y que de otro modo, enfrascada en la propia vivencia, quizás te pasarían inadvertidas. Pero el principal papel del terapeuta es ayudarte a obtener el máximo partido de ti misma, acompañándote en tus viajes para apoyarte, celebrando tus logros y sosteniendo los pasajes difíciles, y sobre todo potenciando tus propios recursos. A partir de eso, la práctica autohipnótica se convierte en un entrenamiento que facilita cada vez más el camino trazado.
Tú misma, que estás viviendo la superación de una fobia, ¿crees que está siendo así?

Había creído tontamente que tendría que cederle el control de mi mente al terapeuta.

La hipnosis me ha abierto a lo grande las puertas de ese universo fascinante que es el subconsciente.

Isabel Martínez: Está siendo más que eso. En términos operativos, mi fobia ya está controlada: puedo hacerme un análisis de sangre con mayor normalidad, y participar en conversaciones que antes necesitaba evitar. Pero he descubierto que la fobia es un síntoma de algo soterrado en mi subconsciente y no tanto un problema en sí mismo. Destaparlo e ir relacionando las piezas del puzzle me ha proporcionado un gran autoconocimiento, y eso es lo que más me fascina de la Hipnosis. También me interesa mucho lo que dices sobre potenciación de los propios recursos. ¿Qué pasa con aquellos recursos que pensamos que no tenemos y que necesitamos? ¿Podríamos, de alguna forma, crearlos?

Dra. Costa: Puedes crearlos. O desarrollarlos, modificarlos, hacerlos evolucionar... Pero mira, realmente es sorprendente la cantidad de «cosas que no sabía que sabía», como canta J. Sabina. El subconsciente tiene todo aquello que necesitas. Basta recuperar esos recursos y adaptarlos a cada situación.

El subconsciente tiene todo aquello que necesitas. Basta recuperar esos recursos y adaptarlos a cada situación.

Isabel Martínez: ¡Yo aún no «sé que sé» que tengo la fuerza y la belleza con la que hace poco me identificó mi subconsciente en una de tus sesiones! (Risas) En serio, si –como venía a decir Gandhi– nuestros pensamientos forjan nuestro destino, y resulta que aquellos no nos están llevando por el camino que queremos, parece que el subconsciente es un buen lugar por donde comenzar, ¿no? Al menos para extraer información valiosa. No sé si también para introducirla.

Dra. Costa: Estoy totalmente de acuerdo en que nuestras creencias forjan nuestro destino, como proponen los enfoques construccionistas. Algo así como «creer es crear». No obstante, es diferente una creencia que tiene carácter de valor o identificación, que un pensamiento, mucho más efímero. A veces los pensamientos se hacen circulares, o intrusivos, o desconfiados, o de cualquier manera «deformados». Entonces son necesarias técnicas cognitivas que nos ayuden a afinar esa cacofonía mental. Pero las creencias que tienen una base antigua –la mayoría de veces incluso perdida en el tiempo–, aquellas creencias enraizadas y jamás puestas en juicio ni actualizadas, son los llamados introyectos. Mediante la introyección incorporamos patrones, actitudes, modos de actuar y de pensar que no son verdaderamente nuestros, sino de nuestros padres, maestros y personas influyentes de nuestro círculo social. Nos los han inculcado sin que nos demos cuenta. Es como un chip en nuestra mente que dirige nuestra conducta, deseos, emociones y pensamientos, felicitándonos cuando nos portamos bien o castigándonos cuando nos portamos mal. En estos casos la hipnosis es una buena puerta de acceso hacia ese origen, permitiendo comprenderlo y/o modificarlo de forma más acorde al presente.

Aplicarse a sí mismo las técnicas hipnóticas se conoce con el nombre de autohipnosis, y cualquiera las puede aprender.

El principal papel del terapeuta es ayudarte a obtener el máximo partido de ti misma.

Isabel Martínez: En realidad, cuando te he mencionado lo de introducir información en el subconsciente, estaba recordando la película *Origen* y lo que hace Leo di Caprio en ella: implantar una idea para hacerla crecer y ver sus frutos en los actos del individuo. Vamos a suponer que yo

quisiera plantar en mi subconsciente la semilla de la abundancia, que engloba muchas cosas en mi vida: autoconfianza para saber que siempre puedo salir adelante aunque esté en mitad de la tempestad; seguridad de que tengo en la vida todo lo que necesito, etc. Estoy segura de que existe algo maravilloso en mi subconsciente que me va a permitir convencerme de que puedo vivir en el amor, la abundancia y la alegría constantes. Pero ¿y si, por la razón que sea, no soy capaz de encontrar lo que busco para dejar que aflore? ¿Podría introducir esa idea con todo lo que la acompaña?

Dra. Costa: Sí, si sabes cómo hacerlo. Por ejemplo, es fundamental no usar la palabra *pero* porque invalida la frase anterior. Si digo: «la sopa está buena, pero tiene demasiada sal», ¿crees que en realidad me gustó la sopa? Una buena alternativa puede ser sustituir el *pero* por un *y*, ya que asevera una cosa y también la otra, o por un *aunque* (la sopa está muy buena aunque tenga demasiada sal).

También es importante evitar usar frases que empiezan con *¿y si...?*, es decir, dejar de sufrir ansiedad anticipatoria. «Quiero ir al cine pero ¿y si ya no quedan entradas?». Los *¿y si?* suelen crear posibilidades desafortunadas, lo cual genera una preocupación que en algunos casos puede servir para prevenir la situación que nos aguarda y, en otros, precisamente va a crear esa realidad temida. ¡Volvemos a estar hablando sobre las creencias que forjan nuestro destino!

Avicena decía «Pienso porque existo», del que salió el famoso cogito cartesiano «Pienso, luego existo». A mí me gusta plantearlo a la inversa: Existo como pienso, porque somos lo que pensamos que somos.

Por todo ello, durante la inducción hipnótica, y mucho más en la fase de profundización del trance y reformulación de los introyectos, es fundamental el uso exquisito del lenguaje. Debemos ser absolutamente impecables al elegir las palabras, porque estas marcan el curso de nuestros pensamientos y creencias, y, por tanto, de nuestros actos y afectos. Y así, retomando tu pregunta y tu deseo, es importante que durante la hipnosis formules pensamientos de confianza en tu capacidad de autoprodigarte cuidados con toda tu creatividad, generosidad, honestidad y eficacia. Para ello puedes repetirte frases positivas, como el lema de Coué: *Every day, in every way, I am getting better and better* («cada día, y en todos los aspectos, me voy sintiendo mejor y mejor»). O bien puedes usar un lenguaje más metafórico, más parecido a los códigos oníricos del subconsciente: cuentos, símbolos, arquetipos, actos ritualísticos, –¡incluso chistes!–, que produzcan esa vivencia de fuerza, alegría y conexión con el medio. Te invito a que compartas con los lectores algunos de los recursos que has movilizado bajo hipnosis, en tu camino de superación de la hematofobia y del redespertar de tu creatividad y de tu fuerza.

Isabel Martínez: Bueno, durante mis sesiones de hipnosis contigo permito que me guíes hacia el lugar donde deseo ir. En general, lo que predominan son escenarios e imágenes, todo aquello que es visual y táctil.

Dra. Costa: ¿Sensorial?

Isabel Martínez: Sí. De hecho, no utilizo lenguaje verbal salvo si tú me pides específicamente que lo haga. Mi mente usa un lenguaje más parecido al de los sueños, mucho más simbólico, que responde a indicaciones tuyas pero que mi subconsciente usa como primer paso para desplegar aquello que guarda y que me pone delante, como si fuera un espejo. A veces, sucede de forma literal. Por ejemplo, me observé siendo un husky siberiano (para mí la encarnación de fuerza y belleza a las que hacía referencia hace un rato), feliz y juguetón en su entorno de nieve, a pesar de ser el hábitat más hostil que yo puedo imaginarme en estado de vigilia porque no soporto el frío.

Dra. Costa: Por favor, Isabel, acláranos algo que seguramente el lector se estará preguntando: ¿Crees que de alguna forma yo te induje a transformarte en perro cuando te hipnoticé? ¿Mencioné la palabra husky en algún momento? ¿De dónde surgió la vivencia, y de qué te está sirviendo?

Hay al principio un proceso de ampliación de la conciencia para que una parte de mi mente «esté ahí», bien consciente y siguiendo todo lo que ocurre, mientras otra parte viaja hacia el interior.

Ha supuesto un cambio en la percepción de mí misma. Siento que ha liberado recursos que eran solo potenciales.

Isabel Martínez: No, en absoluto mencionaste la palabra husky. Pero sí hubo una indicación por tu parte para que me transformara en un animal, el que fuera, el que mi subconsciente eligiera. En este punto creo que es interesan-

te contar algo que me fascina de los procesos hipnóticos: no se trata de tomarse una «píldora azul» y abandonar la percepción de la realidad circundante. Muy al contrario, hay al principio un proceso de ampliación de la conciencia para que una parte de mi mente «esté ahí», bien consciente y siguiendo todo lo que ocurre, mientras otra parte viaja hacia el interior. Así, me das indicaciones para que perciba el mundo a través de mis sentidos, pero de forma ampliada: me invitas a escuchar tu voz y la música relajante de fondo, pero también aquellos sonidos que normalmente pasan desapercibidos, como el tic tac del reloj de pared, por ejemplo. En la sesión a la que estamos haciendo referencia, me invitaste a que desdoblara mi conciencia y la ampliara hasta el punto de imaginarme que me estaba observando desde fuera, como si estuviera suspendida en el aire, viendo mi cuerpo tumbado en la camilla. Después me diste indicaciones para que me fuera transformando en un animal, y desde esa posición desdoblada viera de cuál se trataba. Para mi sorpresa, me fui convirtiendo en una husky. Y fue una sorpresa, no sólo porque al principio creí que se trataba de una loba, sino porque es un animal que yo no habría elegido de forma consciente. Sólo un par de días más tarde descifré los aspectos simbólicos que había tras esa elección, pero esa mañana, cuando salí de tu consulta, me sentía muy diferente, con sensaciones de poder y alegría con las que no había entrado.

No sé si puedo responder a tu pregunta de para qué me ha servido la experiencia con datos mesurables y sin la perspectiva que proporciona el tiempo, ya que aun es muy reciente. Pero ha supuesto un cambio en la percepción de mí misma. Siento que ha liberado recursos que eran sólo potenciales, como la creatividad y la fuerza a las que muy bien has hecho referencia. Esos cambios interiores tienen su repercusión en las cosas que hago y en cómo las hago y, por tanto, en las cosas que me pasan y en mi percepción de ellas.

Dra. Costa: ¿Se podría concluir, entonces, que más que inculcar una semilla en forma de construcción gramatical o pensamiento, en tu caso has despertado una memoria antigua, animal, mediante la vivencia de un trance? Y que como hipnóloga yo no te he insertado nada, sino que solo te he ayudado a rescatar un recurso que tú ya tenías: la experiencia de sentirte feliz y libre, integrada en tu entorno a pesar de poder parecer hostil, sabiéndote inocente a la vez que fuerte, y capaz de procurarte aquello que requieres?

Isabel Martínez: Exactamente.

Dra. Costa: Para mí ese es el arte de la Hipnosis: hacer fácil aquello que parece difícil, mediante el sutil uso del lenguaje sugestivo por parte del terapeuta, y del infinito poder creador de la mente del paciente.

Isabel Martínez: Supongo que por eso tu anterior libro lleva como título *El camino de la hipnosis. El arte de la sugestión.*

Dra. Costa: Sí, porque concibo la sugestión como ciencia y como arte cuando se usa como herramienta terapéutica. Por cierto, herramienta de uso cuidadoso y autoaplicado, de ahí el título de mi nueva publicación *Hipnosis*.

Isabel Martínez: Estoy deseando leerla. Muchas gracias por esta entrevista. Me ha encantado charlar contigo.

Dra. Costa: Gracias, igual te digo.

Barcelona, Septiembre 2010

Esther Costa es médico, psicoterapeuta e hipnóloga clínica.

Isabel Martínez es filóloga, editora y cooperante.

Para terminar

Como habrá podido comprobar, este libro se dirige a usted y a su natural capacidad de experimentar el trance hipnótico. Contiene numerosos pasajes que, como si fueran grandes puertas abiertas, le dan acceso a otras formas de sentir, de pensar o de actuar. Si ha cruzado dichos portales, ya sabe de qué le estoy hablando. Si no, le invito una vez más a que viva esa experiencia, y a que cree otras nuevas.

Estoy convencida de que usted tiene la suficiente creatividad, imaginación y fuerza personal como para crear nuevas formas de autoinducirse el trance hipnótico de manera beneficiosa para su salud. Quién sabe si su cometido es disminuir la ansiedad y aumentar la percepción de autocontrol, o si se trata de dormir mejor por las noches; o tal vez gestionar mejor su dolor mejorando su aprendizaje en relajación, y ejercitando su sentido del humor. Sea como sea, la práctica de la autohipnosis siempre será bienvenida.

En el DVD que acompaña el libro podrá encontrar algunas otras técnicas que aquí no se han mencionado, y que igualmente le pueden resultar útiles. También podrá escuchar de la propia boca de algunos de mis pacientes las experiencias percibidas por ellos, comprobando que cada persona es única e irrepetible, y que sus respuestas ante una inducción hipnótica dependen de cada persona y sus circunstancias. Y así, una misma historia contiene tantas variantes como oyentes tenga. Y el mismo oyente escucha tantas variantes como veces escuche la misma historia.

Espero que lo haya disfrutado tanto como yo, quedándose con lo que le sirva, y dejando que el resto siga su camino.

Si desea hacer cualquier comentario, pregunta o aclaración, puede contactar conmigo a través de mi web, en www.hipnosisdoctoracosta.com. Estaré encantada de compartir sus experiencias, resolver sus dudas, o aprender de sus aportaciones.

Hasta siempre,
Esther Costa

P

Editorial Hispano Europea, S. A.
Primer de Maig, 21 - Pol. Ind. Gran Via Sud
08908 L'Hospitalet - Barcelona, España
E-mail: hispanoeuropea@hispanoeuropea.com
Web: www.hispanoeuropea.com

Depósito Legal: B. 10.541-2011

ISBN: 978-84-255-1984-0

Impreso en España
Limpergraf, S. L.
Mogoda, 29-31 (Pol. Ind. Can Salvatella)
08210 Barberà del Vallès